운강석굴의
인문학

운강석굴의
인문학

문무왕 지음

DESIGN MEME

차 례

서장. 화려함의 극치, 운강석굴의 문화 10

제
1
장

북위불교 北魏佛教 의 특징

Ⅰ. 북위건국과 불교수용
　　1. 북위 건국 이전의 불교 27
　　2. 북위 성립기의 황실과 불교 31

Ⅱ. 평성(平成)시대의 불교문화
　　1. 국가불교화(國家佛教化)의 특징 44
　　2. 태무제의 폐불 64
　　3. 문성제(文成帝)의 불교부흥과 문화의 융성 84
　　4. 불교교단의 재구축 89
　　5. 문명황태후(文明皇太后)의 봉불(奉佛)과 불교문화의 발전 93
　　6. 평성(平城) 불교문화의 변화 95

Ⅲ. 낙양시대(洛陽時代)의 불교와 문화
　　1. 한화정책(漢化政策)과 천도(遷都) 110
　　2. 낙양시대의 불교문화 124

제 2 장 운강석굴의 불교문화

Ⅰ. 운강석굴의 불교문화

1. 담요오굴(曇曜五窟)과 국가불교 156

2. 운강석굴 문화의 변천 170

Ⅱ. 부록 : 용문석굴(龍門石窟)의 불교문화

1. 용문석굴 개착의 배경 191

2. 용문석굴의 변화 194

3. 용문석굴 조상기에 나타난 불교사상과 문화의 특징 242

저자 후기 250

도1 운강석굴 전경

도2 운강석굴 16굴 불입상

도3 운강석굴 16굴 서벽 천불상

도4 운강석굴 16굴 외관

화려함의 극치,
운강석굴의 문화

중국불교사에 있어서 새로운 전환점의 시대는 존재한다. 1세기 무렵 중국으로 전래되어 온 불교는 가섭마등과 축법란의 시대에 본격적으로 정착하는 계기를 맞는다. 이러한 낙양 지역의 불교는 그 뒤 정착기를 맞이하는데, 그중 북위시대는 새로운 관점에서 전환기를 맞이하게 된다.

중국사에서 북위시대(北魏時代; 386~534)는 매우 독특한 성격을 가지고 있는 시대라고 할 수 있다. 이러한 독특성은 북위불교의 특성을 찾아볼 수 있는 중요한 단서이기도 하다.

북위는 전통적인 한족(漢族) 중심의 국가가 아닌 호족(胡族)에 의해 성립된 국가다. 국가 성립 당시 중국은 이민족 출신의 오호(五胡)가 중국의 북방을 지배하던 오호십육국(五胡十六國) 시대였다. 북위는 다른 왕조들과 비슷하게 이민족 출신의 왕조로 출발했지만, 화북(華北)의 오호십육국 시대를 마감하고 화북의 지배자로 자리 잡았다.

선비족(鮮卑族) 계통인 탁발부(拓跋部)에서 시작된 왕조인 북위는 첫 황제인 태조(太祖) 도무제(道武帝) 탁발규(拓跋珪)가 386년 나라를 세웠다. 이후 비약적인 발전을 거듭 3대인 세조(世祖) 태무제(太武帝) 때 화북지방을 통일하기에 이른다. 이 시기에 이르러 북위는 선비족 특유의 지배질서와 새로이 받아들인 한족 지배질서를 융합하여 새로운 지배질서를 구축하려고 시도하였다.

　새로운 지배질서의 확립은 북위를 중국 사회의 주류에 편입하려는 시도였다. 이러한 '호한지배체제(胡漢支配體制)'는 북위의 성격을 보여주는 중요한 점이다. 정치사적 입장에서 호한 지배체제에 관한 연구와는 달리 필자는 문화사적 입장에서 호한지배체제의 중요한 연결고리를 불교에서 찾을 수 있다고 본다. 급격한 변화와 성장을 보인 북위문화(北魏文化)는 한족문화만을 수용한 것이 아니라 당시 새롭게 유행하던 불교문화라는 새로운 흐름을 수용해 북위 특유의 문화를 이끌어 낼 수 있었다고 할 수 있다.

　북위가 화북(華北)지역을 지배하던 시기 동안 수많은 석굴과 불교사원이 건립되었으며 이러한 활발한 불교문화의 업적 이면에는 북위시대의 앞서 언급한 독특한 시대상황도 중요한 작용을 하고 있었던 것으로 보인다. 급격한 불교의 팽창 이면을 학자들은 북위 황실의 정통성 문제를 가지고 언급하기도 하지만, 단순히 정통성의 문제를 불교를 통해서 해결하려고 시도한 것이 아니라 보다 적극적인 불교수용을 통한 문화축적과 한족문화와의 결합, 그리고 새로운 북위문화를 창출해가는 과정으로도 볼 수 있을 것이다.

　또한 북위불교문화를 창조한 북위의 정신은 중국에 있어서 수용기의 불교를 이해하는데 중요한 관점을 보여준다고 볼 수 있다. 이러한 수용과정을 특히 석굴조영과의 관계를 중심으로 살펴봄으로써 새로운 문화사적 입장을 정리할 수 있을 것으로 보인다.

또한 북위불교의 특징을 흔히 '국가불교'라고 한다. 이것은 강력한 황제권 아래에서 국가 통제 하에 불교가 국가 권력과 밀착된 것이다. 이것은 남조(南朝)의 혜원(慧遠)에 의해 보여지는 사상과는 판이한 차이를 보인다. 혜원은 '사문불경왕자론(沙門不敬王者論)'을 통해 사문집단의 고유성과 독자성이라는 인도불교로부터의 전통을 유지하려고 했으며, 또한 남조에 있어서 불교는 어느 정도 이러한 대우를 받았던 것으로 보인다. 하지만 북조 왕조인 북위에서는 이러한 남조의 특징과는 다른 국가불교의 전형을 이룬다고 볼 수 있다. 승관제(僧官制), 폐불(廢佛), 운강(雲岡), 용문석굴(龍門石窟) 등의 개착, 국가사원(國家寺院) 건립, 승지호(僧祇戶) 제도 등의 면면은 국가불교의 전형을 보여준다고 할 수 있다. 이러한 일련의 제도들을 통해 북위불교의 형성 및 발전과 석굴조영과의 연관성을 살피는 것도 중요한 문제라고 할 수 있다.

이러한 북위불교의 국가불교적 성격과 석굴조성은 밀접한 연관을 맺고 있으며 이러한 연관관계를 살피기 위해서는 북위불교의 전개과정과 석굴조영과정을 면밀히 살필 필요가 있다고 본다. 즉, 국가불교화 과정과 한족화 과정은 상호 대립적인 관계가 아니라 상호 유기적인 관계로서 불교의 중요한 매개체가 되었다고 본다.

북위의 낙양천도는 북위가 새로운 중국적 질서를 확립한 시도로 보인다. 즉 전시대의 호한지배체제에서 호한병용책(胡漢並用策)이 한화정책을 통한 새로운 지평을 보인다고 할 수 있다. 이러한 양상은 용문석굴의 양식변천 속에 고스란히 녹아 있다. 화화양식(華化樣式)이라고 하는 양식은 남조의 불상조각의 전통을 수용하면서도 중국사에서 가장 중국적인 불상을 탄생시킨 것을 볼 수 있는데 북위문화의 중국화 된 양상을 극명하게 보여준다고 할 수 있다. 바로 이러한 연결관계를 통해 북위불교의 변화와 북위의 변화, 석굴조영의 변화 등을 함께 살필 수 있을 것이다.

북위가 불교의 권위를 빌어 중국적 지배질서의 토대를 마련했다고 하는 점은 이 글에서 중요하게 다루어질 주제다. 반면에 북위불교의 대표자들이 이러한 토대를 중심으로 불교를 확산시키고, 또한 중국 내에서 완전히 정착시키고자 고심한 흔적을 찾고자 한다. 이러한 상호작용을 살핀다면 북위불교의 본질적인 정체성을 찾을 수 있을 것이다.

북위불교와 관련된 사항을 파악하기 위하여 1차 자료로 위수(魏收)의 『위서(魏書)』의 전반적인 사항을 가장 중요한 참고문헌으로 하였다. 특히「석로지(釋老志)」부분은 본 연구를 위해 가장 중요한 부분을 제시하고 있다. 쓰가모토의『위서석로지의 연구(魏書釋老志の硏究)』는 석로지 해석에 있어서 중요한 기초자료를 제시하고 있다. 또한 승우(僧祐)의『홍명집(弘明集)』과 도선(道宣)의『광홍명집(廣弘明集)』, 사마광(司馬光)『자치통감(資治通鑑)』을 석로지의 기사를 재확인 하는 과정에서 중요한 사서로 이용하고자 한다. 또한 혜교(慧皎)의『고승전(高僧傳)』과 도선(道宣)의『속고승전(續高僧傳)』은 인물부분을 확인하는데 중요한 사료로 사용할 것이다. 도세(道世)의『법원주림(法苑珠林)』과 지반(志磐)의『불조통기(佛祖統紀)』도 중요한 사료로서 본 연구과정에 있어서 중요한 사료로 사용할 것이다.

북위불교사를 확인하기 위해서 이 글에서 참고한 자료 중 탕용통『한위양진남북조불교사(漢魏兩晉南北朝佛敎史)』는 초기중국불교사에 관한 기초적인 개설서로 그 뒤의 초기중국불교사의 내용은 탕용통의 영향을 받은 것이 많다. 따라서 북위불교사를 연구하기 위해 면밀히 검토하고자 한다. 쓰가모토(塚本善隆)의『지나불교사연구(支那佛敎史硏究)』북위편(北魏篇)은 본 연구를 위해 매우 중요한 시사점을 주고 있다. 탁월한 해석과 더불어 운강석굴, 황제즉 여래 사상에 관한 논쟁의 단초를 연 이 책은 본고의 모티브가 된 중요한 저술이다. 또한 가마다 시게오(鎌田茂雄)의 『중국불교사(中國佛教史)』 3권은 북위불교사를 연구하는데 기초적 자료를 제시하고 있다. 하지만 가마다 시게오의 책은 쓰가모토의 책을 고스란히 복사한 부분도 눈에 띤다. 북위불교사에 관한 오오초 에니치(橫超慧日)가 편집한 『북위불교의 연구(北魏佛教の硏究)』도 중요한 참고문헌으로 사용되었다. 이 책을 통해 북위불교사중 사상사적인 측면에서 접근하였다.

각 시기별 특징에 관한 연구를 위해서 참고한 문헌은 이빙(李憑)의 『북위평성시대(北魏平城時代)』와 복부극언(服部克彦)의 『북위 낙양의 사회와 문화(北魏洛陽の社會と文化)』에 나타난 문화와 역사를 중심으로 자료를 살펴보고자 한다.

석굴 및 미술사에 관한 자료는 『중국석굴(中國石窟)』 시리즈의 운강석굴문물보관소 편(雲岡石窟文物保管所 編)의 「운강석굴(雲岡石窟)」 1·2와 용문문물보관소(龍門文物保管所)·북경대학 고고계(北京大學考古系) 공편(共編) 「용문석굴(龍門石窟)」 1·2를 중심으로 자료를 모았다. 최근에 북위석굴에 관해 쓴 이시마츠 히나코(石松日奈子)의 『북위조상사의 연구(北魏佛教造像史の硏究)』도 많은 도움이 되었지만 참고문헌의 인용에 있어서 미흡한 점이 보였다. 문명대(文明大) 교수의 「운강석굴(雲岡石窟)의 석굴형식(石窟形式)과 불상조각(佛像彫刻)의 특징」

은 중요한 참고자료가 되었다.

　참고한 논문은 국내에서 북위시대불교사를 정치사적 입장에서 정리한 이영석 교수의 박사학위논문 및 「북위 문성제의 흥불정책에 관한 연구」, 「북위의 화북(華北)통일에 따른 대불정책」-태무제(太武帝)의 폐불이전(廢佛以前)을 중심으로, 북위 헌문(獻文) 효문제(孝文帝)시대의 불교정책」- 문명태후(文明太后)를 중심으로 - 등의 문헌은 북위불교사에 관한 연구가 미진한 국내학계에서 상당한 도움이 된 자료이다. 또한 중국위진남북조사학회(中國魏晋南北朝史學會)의 학술지인 『북조연구(北朝硏究)』를 통해 최근의 북조연구의 중국 내 흐름을 알 수 있는 중요한 논문들을 참조하고자 한다.

　또한 박한제 교수의 「북위 낙양사회와 호한체제(胡漢體制)」, 「북위의 대외정책과 호한체제」의 논문은 북위가 안고 있는 호한체제의 문제와 북위불교사와 연관시킬 수 있는 여러 가지 단서를 제공하고 있다.

　이러한 바탕에서 북위의 국가불교적 특성과 석굴과의 관계를 중심으로 북위불교의 변천을 불교문화사적 관점에서 살펴보았다.

도5 운강석굴 16굴 서벽 교각보살상

도6 운강석굴 17굴 교각보살상

도7 운강석굴 18굴 북벽 불입상

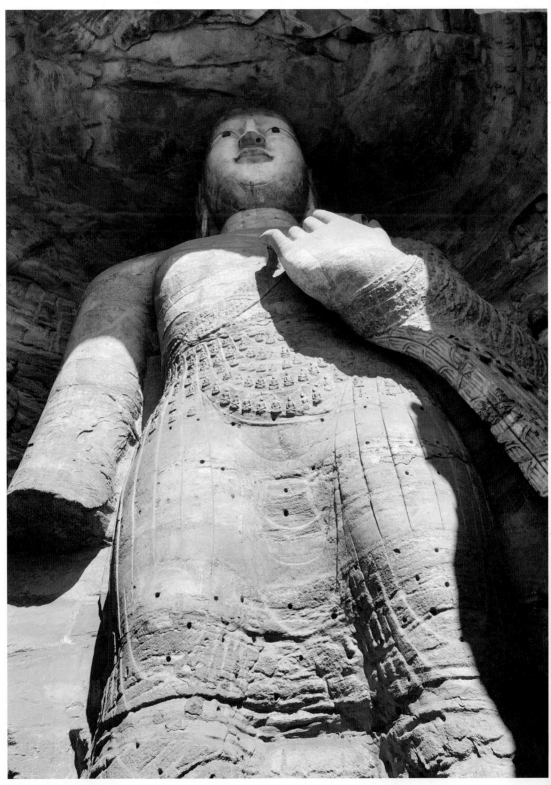

도8 운강석굴 18굴 불입상

도9 운강석굴 18굴 불입상 상부

제1장

북위불교 北魏佛教 의 특징

북위의 첫 번째 수도는 현재 산시성 다퉁시(大同市) 지역인 평성(平城)이었다. 이곳을 중심으로 북위는 왕조를 건국하였으며, 마침내 화북지방의 패자가 되었던 것이다. 북위는 평성에 도읍을 정하고 부족국가적인 정체성에서 벗어나 비로소 국가의 기틀을 확립하였다. 이 시기를 통해 북위는 그들의 정체성을 확립하고 한족과의 융화를 통해 본격적으로 중국사상에 등장할 수 있는 계기를 만들었다고 할 수 있다.

북위는 일반적으로 낙양(洛陽) 천도를 기점으로 전기와 후기로 나눌 수 있다. 사토 치수이(佐藤智水)는 북위불교의 시기를 나누면서, 제1기를 건국(建國)에서 폐불(廢佛)시기 까지, 제2기를 불교부흥(復佛)에서 낙양천도(洛陽遷都)까지, 제3기를 낙양천도에서 동서분열시기(東西分裂時期)까지로 시대구분을 하고 있다.[1] 가마다 시게오는 북위불교를 북위의 건국(建國), 폐불(廢佛), 불교부흥(佛教復興), 평성후기(坪城後期), 낙양시대(洛陽時代)의 불교로 나누기도 한다.[2]

하지만 북위불교의 성격을 구분해 제1기는 북위의 건국시기에서 폐불 전까지의 '수용기(受容期)', 제2기는 북위의 태무제(太武帝)에 의한 폐불(廢佛)이 실시되어 북위불교가 쇠퇴한 '쇠퇴기(衰退期)', 제3기는 문성제(文成帝)에 의한 불교부흥에서 낙양천도까지의 '발전기(發展期)', 제4기는 낙양천도 이후의 '정착기(定着期)'로 보고자 한다. 이러한 분류는 가마다 시게오가 분류한 평성후기의 성격이 불교부흥기와 매우 밀접한 연관이 있으므로 같은 시기로 통합해 보고자 하는 것이다.

---

1 佐藤智水,「雲岡佛教の性格」『東洋學報』第59卷 p. 28.
2 鎌田茂雄,『中國佛教史』제1권, 장휘옥 역, p. 8(서울, 장승, 1996).

Ⅰ. 북위건국과 불교수용

1. 북위 건국 이전의 불교

북위 성립기의 불교에 관한 기사는 매우 적다. 이러한 이유는 북위의 성립과 매우 밀접한 관련이 있는데 북위는 이동을 중심으로 하는 유목민족이었다. 북위를 건립한 종족은 선비족의 일족인 탁발부(拓拔部)다. 본래 탁발부의 본거지는 현재 『위서』「예지(禮志)」의 기사와 1980년 7월의 고고학적 발굴을 기초로 해서 대흥안령(大興安嶺) 동쪽 기슭의 몽골 자치구 악륜춘(顎倫春) 자치기(自治旗) 아리하진(阿里河鎭) 서북지역으로 추정하고 있다.[3] 이들은 유목을 중심으로 하는 사회구조로 되어있었다. 유목민족의 특성상 고유문화를 형성한다든가 새로운 문물을 수용하는 것은 요원한 일이었다. 탁발부의 성격이 초기문화의 부재를 가져왔을 것이다.

---

3 이공범, 『위진남북조사』 p. 126(서울, 지식산업사, 2003).

북위 황제의 『위서(魏書)』에 등장하는 최초의 황제는 신원황제(新元皇帝)라고 추시(追諡)한 역미(力微)다.[4] 북위 최초의 황제는 도무제라고 불리던 탁발규였지만 위서를 편찬하면서 그들의 역사를 역미시대로 끌어다 놓았다. 이 시기를 중국사 속에서 파악하는 것은 어렵다고 본다. 이러한 시도는 단지 그들의 역사의 정통성을 부과하려는 후세의 시도로 볼 수 있다.[5] 따라서 이 시기의 불교를 논한다는 것은 매우 어려운 일이다.

도10 선비족 발원지

탁발부가 중원지역으로 진출하기 시작하는 것은 역미의 손자인 의이(猗㐌)·의로(猗盧) 형제 때부터이다. 중원에서 '팔왕의 난'과 '영가의 난'이 일어나자 한족들이 그들의 지배하에 투신해 오게 되었다. 또한 진(晉)의 병주자사(幷州刺史) 사마등(司馬騰)을 구원하기 위해 출병(304)하여 유연·석륵 등과 싸웠다. 이때(310) 서진(西晉) 회제(懷帝)로부터 대국공(代國公)에 봉해졌다. 진에 대한 출병 원조의 보상으로 안문관(雁門關) 남북의 땅을 분할한 대동분지를 포함하는 장성 남북의 땅을 받아 국가의 기틀을 다졌다. 집익건(什翼健)의 시대에는 유목적인 국가체제에서 농업국가로의 발전을 꾀하였던 것으로 보인다. 하지만 전진(前秦) 부견의 침입을 받아 국가 체제는 무너졌다.[6] 이때부터 북위 초기의 수도가 되는 평성을 포함한 대동지역의 지배권을 확보한 것으로 보인다.

그런데 북위가 본격적으로 건국하기 이전에 불교와 관계한 기사는 「석로지」를 통해 추

---

4 『魏書』卷1「帝紀」第1, "神元帝始祖神元皇帝諱力微立".

5 『魏書』「序紀」의 기사에 대해 拓拔珪의 정통성이나 力微의 존재 까지도 志田不動磨의 논문「代王世系批判」(『史學雜誌』第48卷 2.3號, 1937)에서는 믿을 수 없다고 단정하였으나 內田吟風은 「魏書序紀特に其世系記事に就いて」(『史林』22-23,1937)이에 대해 비판을 가해 북위황실이 皇帝의 후예라는 기사 외에 序紀의 기사가 사실이라고 반박하고 있다. 朴漢濟, 「北魏王權과 胡漢體制」(『震檀學報』64 p.175)에서 재인용.

6 이공범, 앞의 책, p.127.

정해 볼 수 밖에 없다. 「석로지」상에는 이 당시의 상황을

> 위의 선조가 북쪽에 나라를 세웠으나 풍속이 순박하여 무위로서 스스로를 지
> 켰고, 서역과는 왕래할 수 없어 그런 까닭으로 불교의 가르침을 듣지도 못하였
> 다. 혹 들었을지라도 믿지 않았다. 신원황제 때 위(魏)·진(晋)이 서로 교류하자
> 문제(文帝)가 낙양(洛陽)에 머물고 소성제(昭成帝)가 양국(襄國)에 가니 이에
> 남쪽 중국의 불법을 자세히 연구하였다. [7]

「석로지」에서는 사막한(沙漠汗)과 관련된 기사에서 불교와의 연관 관계를 찾으려 하
고 있다. 사막한이나 십익건이 낙양과 양국에 체제하고 있을 때 불교와의 연관 관계가 있
는 것으로 언급하고 있다. 만약 이러한 석로지의 기사가 사실이라면 서진 당시 낙양지역의
불교나 십익건 당시라면 후조(後趙)의 석륵 치하의 불교와 인연을 맺을 수 있었을 것으로 추
정된다.

이러한 '남하불법(南夏佛法)'의 기사를 쓰가모토는 '문제의 낙양체제를 통한 불교의 전
래사실은 북위불교의 흥륭을 시조와 소급해서 결부시키고자 했던 바람에 대한 기사일지
도 모른다.' 라고 기술하고 있다. [8] 물론 문제가 낙양에서 불교를 가지고 와서 북위에 전파
를 할 수는 없었다.

문제(사막한)는 귀국 도중 피살되었기 때문에 문제가 불교를 가지고 오려고 했더라도
탁발부에 전해 질 수는 없었을 것으로 보인다. [9] 문제는 A.D 261~267 사이에 낙양에 파견
되었으며, A.D 275~277 사이 두 차례에 걸쳐 중국으로 파견된 것으로 알려져 있다. [10] 이

---

7 『魏書』卷114, 志 第20, 「釋老志」"魏先建國於玄朔 風俗淳一 無爲以自守 與西域殊絕 莫能往來 故浮圖之敎 未之得聞 或聞而未
   信也 及神元與魏 晋通聘 文帝久在洛陽 昭成又至襄國 乃備究南夏佛法之事".

8 塚本善隆, 『支那佛敎史硏究』(淸水弘文堂書房, 소화44년, 東京), p.63

9 鎌田茂雄, 『中國佛敎史』제3권, 장휘옥 역(서울, 1996,장승) p.271.

10 李英蘩, 『北魏의 佛敎政策에 관한 硏究』(단국대학교 대학원 사학과 박사학위청구논문, 1994) p.8 .

시기에 사막한이 불교를 접할 수 있는 단서를 추정해 볼 수도 있지만 이 시기 이후로 60~70년 정도의 시기동안 불교가 북위역사에 등장하지 않는 점으로 보이도 쓰가모토의 주장이 합당하다고 생각된다.

하지만 소성제(집익건)의 불교접촉의 기사는 학자들에 의해서도 어느 정도 타당성을 가지고 있는 것으로 보고 있다. 쓰가모토도 그의 논문에서 이러한 가능성을 열고 있으며[11], 가마다 시게오의 경우도 동일한 주장을 펴고 있다.[12] 십익건은 A.D. 338년 즉위하기 전까지 약 10여 년간 석륵(石勒)과 석호(石虎) 밑에 의탁하고 있었던 것으로 보인다.[13]

당시 불도징(佛圖澄)이 석륵 치하에서 교화를 하고 있었던 시기였으니, 석륵과의 교류문제로 후조(後趙)에 가 있던 집익건은 불교를 접했을 것으로 추정해 볼 수 있다. 석륵은 당시 신이(神異)의 고승으로 유명한 불도징을 중용했으며 불도징 또한 정치에도 많은 관여를 했으므로 이러한 상황을 북위 초기의 지배자들은 익히 알고 있었을 것이다.[14] 이러한 내용을 통해서 북위 건국 이전의 불교수용을 유추할 수는 있다. 하지만 석륵으로 부터 불교를 전해 받을 수 있었다는 단서 하나로 건국 이전 불교의 전체적인 모습을 유추할 수는 없다.

다만 북위 건국 이전의 지배자들도 석륵과의 교류 속에서 불교가 국가 통치를 위해 필요한 사상이라는 점을 받아들일 수 있었으리라고 추론할 수 있다.[15] 당시 오호십육국의 상황 하에서 불교를 문화적·정치적 측면에서 이런 방식으로 받아들이는 것은 당시로서는 매우 유용한 일이며, 또한 이러한 풍조 속에서 북위불교 출발의 연원을 찾는다는 것은 매우 타당한 일이라고 본다. 북위불교의 출발은 석륵과 석호를 중심으로 한 불교정책의 기반과 깊은 연관을 맺고 있으며, 이러한 기반이 후대에 영향을 줄 수 있는 중요한 단서로서

---

11 塚本善隆, 앞의 책, pp. 63~68.
12 鎌田茂雄, 앞의 책, pp. 271~274.
13 塚本善隆, 앞의 책, p. 63.
14 鎌田茂雄, 앞의 책 제1권, pp.339~341의 내용 참조.
15 李英華, 앞의 논문, p. 14.

제1장. 북위불교(北魏佛敎)의 특징

십익건의 남하불교의 기사를 이해 할 수 있다.

북위불교는 북위의 건국과 더불어 그들 나름대로의 불교정책 방향을 찾을 수 있다. 북위는 출발당시부터 앞의 전례를 받아들이면서도 새로운 틀을 만들어 내고 있다. 이러한 정책의 방향이 북위문화 전반의 흐름을 만들어 내고 있으며, 북위 석굴 조성에도 나타난다고 할 수 있다.

2. 북위 성립기의 황실과 불교

북위의 폐불(廢佛) 이전까지 북위불교 수용기인 도무제(道武帝)와 명원제(明元帝) 시기의 불교를 살펴보면 북위 초기의 불교전개 양상을 이해할 수 있다. 이러한 전개 양상은 북위불교의 중요한 성격으로 분류하고자 하는 '국가불교(國家佛敎)'적 틀을 이해하는 중요한 관점이 될 것이다.

북위는 십익건의 손자인 탁발규(拓拔珪)가 386년에 국가를 건국한다. 이때까지도 북위는 안정적인 기틀을 마련하지 못하였다. 396년 후연(後燕)의 대군을 격파하고 중원에 뿌리를 내릴 기반을 잡을 수 있었는데 이때 연호를 황시(皇始)로 개원(開元)하였다.[16]

북위는 건국과정에 있어서 전쟁의 주요 목적은 약탈을 통한 포로와 재산의 획득이었다.[17] 이를 통해 북위는 북위 건국의 기반으로 삼을 수 있었으며, 건국 이후에도 이러한 전쟁을 통해 북위는 경제적인 측면만이 아니라 문화적인 축적을 할 수 있었던 것으로 보인

---

[16] 北魏의 건국과정은 勞榦 지음, 『魏晉南北朝史』 金榮煥 옮김(서울:예문춘추관, 1995), 이공범 지음, 『위진남북조사』(서울:지식산업사, 2003) 볼프람 에베하르트 지음, 『中國의 歷史』 최효선 옮김(서울:문예출판사, 1997)를 참조하면 볼 수 있다. 특히 에베하르트는 북위의 건국과정을 부족 국가시대부터 자세히 소개하고 있다. 북위의 건국의 문제는 이전의 五胡十六國시대의 상황과는 다른 華北지방의 새로운 통일자로서 탄생할 수 있는 배경과 발전과정을 자세히 언급해 놓았다. 북위의 건국 시기는 북위의 皇始 元年(386년) 부터라는 점은 모든 사서에서 일치한다. 이러한 북위의 건국은 이전의 부족국가적인 성격을 탈피 고대왕조로서의 기틀을 마련한 386년을 개국 년도로 보는 것이 옳다.

[17] 宿白, 「平城における國力の集中と＜雲岡樣式＞の形成と發展」 雲岡石窟文物保管所 編, 『中國石窟 雲岡石窟』 1(東京: 平凡社, 1989), p. 170.

다. 북위는 기본적으로 유목을 기반으로 한 왕조였기에 고유한 문자나 사상을 가지지 못했던 것으로 보인다. 이러한 문화적 결어 상태에서 중국으로의 진입에 있어서 필요한 문화를 자체적으로 만들어 낼 수 없었기에 유목민족 특유의 약탈적 수용을 택한 것이다.

태조는 398년 천흥(天興) 원년 평성(平城)에 수도를 정하고 중국식의 도성을 쌓는 공사를 개시하였다. 이 당시의 기록을 살펴보면,

> 산동(山東) 육주(六州)의 관리(民吏)와 도하(徒何), 고려(高麗)의 잡이(雜夷) 36만,
> 백공(百工)의 기교(技巧) 10만여 구를 옮겨 경사(京師)에 채웠다.[18]

라고 기술되어 있다. 산동 6주의 주민들로서 당시 평성을 채웠다는 기록은 시사하는 바가 크다.

첫째, 주민을 이동시키는 것은 북위가 부족국가 당시부터 지속해 온 인구증가정책과 관련이 있다.

둘째, 이러한 인구의 수용은 새로운 문화를 수용하는 계기가 된 것이다.

즉 인구의 수용으로 그들이 가지고 있던 문화적 전통을 흡수, 문화적 배경이 빈약한 북위에 새로운 문화를 이식한 것이다. 북위의 이러한 대외적 정복과정에서의 이민정책은 제국형성 이전부터도 행해졌으며, 통일과정에서 이민정책은 통일국가를 향하는 의지가 반영된 것이라고도 볼 수 있다.[19] 이러한 통일정책의 이면에는 그들의 호한(胡漢)정책과도 많은 연관이 있다고 볼 수 있다. 즉 이민족 왕조였던 북위의 중원으로의 진출은 새로운 정책방향을 요구했다고 볼 수 있으며 그 과정상에 호한(胡漢)체계, 이민정책, 불교의 도입은 유기적 관계로 맞물려 있다고 볼 수 있다.

---

18 『魏書』卷2,「帝紀」第2, 太祖紀 "徒山東六州民吏及徒何, 高麗雜夷三十六万, 百工技巧十萬余口, 以充京師".
19 李英華, 앞의 논문, pp. 35~36.

도11 산동 영암사

도12 낭공곡

이러한 문화이식의 증거는 태산(泰山) 승랑(僧朗)의 기사에서도 그 증거가 보인다. 태조의 봉불행위와 승랑에 관한 기사가 사서 상에 등장하는 것은 천흥(天興) 원년(398)의 기사에서이다.

태조는 중산(中山)을 평정하고 연조(燕趙)를 경략함에 있어, 곳곳에 있는 군국의 불사에서 사문과 도사를 보면 정성을 다해 예경하고 군사들에게 명하여 범하는 일이 없게 했다. 제는 황로를 좋아하고 종종 불경을 읽었다. 다만 천하를 처음으로 평정하였으므로 끊임없이 군대의 수레가 움직였으며, 만사가 초창기였기 때문에 아직 도우를 건립하여 승도를 초청하지 못했지만, 때때로 널리 구하였다. 당시 사문 승랑이 있었는데, 그 문도와 함께 태산의 혼곤곡(琨王而谷)에 은거하였다. 제는 사신을 보내어 편지를 보내고, 증(繪), 소(素), 전계(旃罽), 은발(銀鉢)**20**로 예를 갖추었다. 지금도 이름해서 낭공곡(朗公谷)이라고 한다. **21**

---

20 繪은 비단을 素는 생명주 旃罽는 깔게 銀鉢은 승려들의 식기인 발우를 은으로 만든 것을 의미한다.

21 『魏書』卷114, 志 第20,「釋老志」"太祖平中山 經略燕趙 所逕郡國佛寺 見諸沙門道士 皆致精敬 禁軍旅無有所犯 帝好黃老 頗覽佛經 但天下初定 戎車屢動 庶事草創 未建圖宇 招延僧衆也 然時時旁求 先是 有沙門僧朗 與其徒隱于泰山之琨王而谷 帝遣使致書 以繪素旃罽銀鉢禮 今猶號曰朗公谷焉".

도13 통만성

본인의 조사에서도 태산의 영암사에 승랑의 사당을 볼 수 있었다.

태조의 초기불교와의 관련 기사에서 볼 수 있듯이 태조는 초기에 불교의 존재를 알고 있었던 것으로 보인다. 북위가 중원에 진출하면서 불교와의 관계가 시작되었다. 그들이 진출한 지역은 불도징의 교화의 중심지였다.[22] 그가 중원지역에 진출하면서 당시 신앙으로서는 활발한 활동을 보인 불교와 연관 관계가 시작되었다고 할 수 있다.

또한, 그들의 점령지역에 따라 앞서 언급했듯이 각지의 문화를 수용한 것으로 보인다. 태조기의 기록에 이민정책을 시행했음을 알 수 있다. 또 평성(平成)을 도읍으로 정한 이후에도 산동 6주의 사람들을 계속 이주시켰다는 기록[23]이 있다. 평성초기 불교의 모습은 산동지방의 이주민을 중심으로 한 '산동불교(山東佛敎)'가 평성에 급격히 유입된 것으로 볼 수 있다.

최초의 불사에 관한 기록은 천흥원년 칙령에 나타나는데

> 천흥원년 조칙을 내리기를 '불법이 일어난 역사가 오래되었고 널리 이롭게 하는 공(功)이 망자는 물론 산자에게도 미치니 신령한 자취를 좇아 보니 가히 믿을만하다. 이에 유사에게 조칙을 내려 경성(京城)에 불상을 만들고 절을 지어 믿는 무리로 하여금 머물게 하라.' 이 해에 5층탑과 기자굴산(耆闍堀山)과 수미산전(須彌山

---

22 塚本善隆, 앞의 책, p. 68
23 『魏書』卷2,「帝紀」第2, 太祖紀 "徒六州二十二郡守宰 豪傑 吏民二千家于代都."

殿)24을 짓기 시작하고 따로 강당, 선당, 사문좌를 갖추게 했다.25

는 기록이 있다. 이는 태조가 수도 건립에 있어서 불교를 안착시키는데 얼마만큼 주력했
는지를 알 수 있다. 태조는 이러한 봉불행위와 함께 승려조직을 국가화 시키려고 시도한
것을 살필 수 있다. 이 부분은 뒤에 언급될 법과(法果)를 살펴보아야 한다.

409년에 즉위한 태종(太宗) 명원제(明元帝;409~423)는 북위 영토를 한층 더 확장하였
다. 당시 북방은 오호십육국 시기의 특징인 격변기에 있었으며 동북지방에서는 빙발(憑
跋)이 후연(後燕)을 멸하고 북연(北燕)을 세웠으며, 동남지방은 모용수(慕容垂)일족인 모
용덕(慕容德)이 남연(南燕)을 세웠다. 서쪽에서는 장안을 중심으로 요흥(姚興)의 후진(後
秦)이 세력을 폈으며, 혁련발발(赫連勃勃)은 하(夏)를 건국하고 통만성(統萬城)을 쌓았다.
410년 유송(劉宋)의 태조 유유(劉裕)는 남연을 정벌하고, 후진까지도 정벌했다. 418년 유송
군이 장안에서 내분을 일으키는 틈을
타 하의 혁련발발은 장안을 점령하였
다. 북위도 낙양을 점령하고 화북지방
에서 세력을 확장하였다. 이로서 화북
지방은 하와 북위가 강력한 세력을 굳
히게 되었다.26

이러한 화북의 상황 하에서 북위는

도14 통만성

---

24 기사굴산은 중인도 마갈타국 왕사성(王舍城) 동북에 위치해 있는 산으로 석가모니불이 〈법화경(法華經)〉 등 많은 대승경
    전을 설한 곳이며, 삼처전심(三處傳心)의 하나인 염화미소(拈華微笑)도 이곳에서 행해졌다.
    영축산(靈鷲山)·축봉(鷲峰)·축령(鷲嶺)·영산(靈山)이라고도 한다.
    수미산(須彌山)은 불교의 세계관에서 세계의 중심에 솟아있다는 상상의 산이다. 황금과 은, 유리, 수정으로 이루어져 있으
    며 산의 중턱에는 사천왕, 정상에는 제석천이 있다고 한다.

25 『魏書』卷114, 志 第20「釋老志」"天興元年 下詔曰 夫佛法之興 其來遠矣 濟益之功 冥及存沒 神蹤遺軌 可依憑 其勅有司 於京城建
    飾容範 修整宮舍 令信向之徒 有所居止 是歲 始作五級佛圖 耆闍堀山及須彌山殿 加以績飾 別構講堂 禪堂及沙門座 莫不嚴
    具焉」.

26 이용범, 앞의 책, p.139.

세력을 굳히고 있었으며, 중원지역의 중심부 중 하나인 낙양을 점령한 후 한족과 호족이 교차하는 호한체제를 해결할 방법이 요구되었다. 쓰가모토 젠류는 이러한 이유에서 태종대의 불교를 승려들의 민간포교와 서민불교의 확장을 당시의 특징으로 삼고 있다.[27]

하지만 태종 또한 불교에 그리 해박하지 않았으며, 오히려 도교적이었음을 살필 수 있다. 태종이 광종(廣宗)지방에 행차 했을때 사문 담증이 있었는데 나이가 100세나 되었다. 길까지 나와 과일을 바쳤다. 황제가 노년임에도 불구하고 기력이 쇄하지 않음을 존경하여 수노장군(壽老將軍)의 호를 내렸다.[28]

이와 같은 기사로 보아도 수노장군이라는 호를 사문이었던 법과(法果)나 담증에게 내리는 태도를 볼 때 그는 도교와 불교를 잘 구분하지 않은 듯 하다. 또한 도교적 이상상인 장수의 열망이 이러한 기사를 통해 표출된 것임을 알 수 있다. 하지만 태종의 기록 속에서 당시불교의 발전 과정을 살필 수 있다.

> 태종은 자리를 물려받고 태조의 업적을 존중하였다. 역시 황로(黃老)를 좋아하고 불법을 숭상했다. 수도 사방에 불상을 세우고 사문들로 하여금 민간풍속을 교화하였다.[29]

그의 불교정책은 법과와 밀접한 관련이 있다. 태조 이래로 숭상해온 법과를 통해 불교교단을 효율적으로 통제하고 불교를 통하여 국가발전의 기틀을 마련한 것으로 볼 수 있다. 그러나 법과를 중심으로 불교교단을 통제하였던 태종대의 불교는 국가 체제하에 순응하면서 점차 중앙에서 지방으로 그 세력을 확장한 것으로 보인다. 이러한 불교교단에 관한 통제제도에 관해 쓰가모토 젠류는 지방교화의 지도자 중 가장 신임하는 이를 도인통(道

---

27 塚本善隆, 앞의 책, pp. 79~85.

28 『魏書』卷114, 志 第20,「釋老志」"帝後幸廣宗 有沙門曇證 年且百歲 邀見於路 奉致果物 帝敬其年老志力不衰 亦加以老壽將軍號".

29 『魏書』卷114, 志 第20,「釋老志」"太宗踐位 遵太祖之業 亦好黃老 又崇佛法 京邑四方 建立圖像 仍令沙門敷導民俗".

도15 응현목탑

人統)으로 삼아 각각 지방의 승려들을 국가적 사업에 참여시키고 있다고 파악하고 있다.[30] 이러한 국가 통제하의 증거로 앞서 인용된 '수도 사방에 불상을 세우고 사문들로 하여금 민간 풍속을 교화하였다'는 구절에서 그 단초를 찾을 수 있는 것이다.

이후에 나타난 읍사제도(邑師制度)의 효시도 태종대의 불교에서 시작한 민간포교의 확대정책과 연관이 있을 것으로 보여진다.[31] 태조 때에 시작된 중앙의 도인통제도에 의한 교단의 효율적인 관리가 태종대에 더욱 확대되어 지방에 까지 중앙불교의 흔적이 이끌어졌으며, 이러한 지방으로의 확장은 이전 황실의 개인적인 신봉성격이었던 것을 초월하여 국가에 의한 불교교단의 통제 하에서 북위불교의 흐름이 나타나는 것으로 볼 수 있다.

가마다 시게오는 북조 호족국가에서는 당시 강남 동진(東晉)과는 달리 전제적 성격의 이민족 국가에서 독재군주에 협력적인 자세를 취하지 않으면 교단을 유지하기 힘들었기 때문에 자연히 국가적 색채를 강하게 띠게 되었다고 말하고 있다.[32]

30 塚本善隆, 앞의 책, p.82.
31 같은 책, p.83.
32 鎌田茂雄, 앞의 책 제 3권, p.283.

도16 운강석굴 18굴 이불병좌상

제1장. 북위불교(北魏佛敎)의 특징

도17 운강석굴 19굴 북벽 불좌상

도18 운강석굴 19굴 불좌상 상부

도19 운강석굴 19굴 의좌상

도20 운강석굴 20굴 불좌상

제1장. 북위불교(北魏佛敎)의 특징

도21 운강석굴 20굴 좌보살입상

도22 운강석굴 20굴 광배 비천과 공양상

II. 평성(平成)시대의 불교문화

1. 국가불교화(國家佛教化)의 특징

(1) 승관제(僧官制)의 성립과 전개

도23 평성 사진

북위불교의 성립과 더불어 나타난 중요한 요소는 승관제의 성립이라고 할 수 있다. 이것은 태조 이래 북위불교에 있어서 지속된 일이다. 승관제가 북위불교에서 처음 나타난 것은 아니었지만, 북위의 승관제는 후대에 이르기 까지 지속적으로 체계화 되어 나타났기에 북위불교의 특징으로 볼 수 있다. 승관제는 물론 태무제(太武帝)의 폐불(廢佛) 시기에는 잠시 중단되기는 했지만 북위불교에 있어서 지속적으로 실시된 정책이다.

승관제에 관한 최초의 사료는

> 황시(皇始)년간에 조군(趙郡)에 사문 법과(法果)가 있었는데 계행이 지극하여
> 승려가 되었다. 태조가 그 이름을 듣고 조칙을 내려 예를 다해 경사(京師)로 모
> 시니 후에 도인통(道人統)이 되어 승도(僧徒)를 총괄하였다.[1]

황시년간(396~397)에 법과를 평성으로 초청했으며, 후에 도인통이 되어 승려를 관리
하는 자리에 올랐다는 기사가 있다. 이「석로지(釋老志)」의 기사만으로는 최초의 승관 임
용의 년대를 찾을 수 없다.

『불조통기(佛祖統記)』에서는 비교적 명확하게 도인통에 임명된 연대를 기술하고 있다.

> 황시 2년 조군 사문 법과가 사문통(沙門統)이 되었다.[2]

법과가 북위에서 받은 사문을 통괄하는 자리에 해당되는 명칭은 도인통이었던 것으
로 보인다. 『불조통기(佛祖統記)』의 기사에 사용된 사문통은 담요(曇曜) 시기에 바뀐 승관
의 명칭이다. 물론『불조통기』의 기사의 출처가 불분명하기에 황시 2년(398)의 기사를 그
대로 믿을 수는 없다. 하지만 법과가 황시 년간에 북위의 수도였던 평성에 오게 되었으며,
평성에 온 이후에 가까운 시일 안에 사문을 통괄하는 도인통이 되었다는 점은 충분히 추
론이 가능하다.

거의 동시대에 해당되는 후진(後秦)의 홍시(弘始;399~416)년간에도 승관(僧官)의 설치기
록이 보인다. 『고승전(高僧傳)』권6의 승괵(僧劃)의 기사에 의하면 후진(後秦)의 요흥(姚興)이

---

1 『魏書』卷114, 志 第20,「釋老志」,"初 皇始中 趙郡有沙門法果 誡行精至 開演法籍 太祖聞其名 詔以禮徵赴京師".
2 『佛祖統記』卷38 (大正藏 권49, p.353) "皇始二年 詔趙郡法果為沙門統"

대법이 동방으로 옮겨와 지금 성해져 승려와 비구니가 많아졌다. 마땅히 여기
에는 강령이 필요하니 원대한 규칙을 내려 무너진 실마리를 제도하는 것이 좋
겠다. 승곽(僧䂮)법사는 젊을 때부터 학문이 넉넉하였고 늙어서는 덕이 꽃다우
니 나라 안의 승주(僧主)로 삼을만 하다. 승천(僧遷)법사는 선정과 지혜를 닦아
서 대중들을 기쁘게 한 스님이며, 법흠과 혜빈은 함께 승록(僧錄)을 관장하게
하고 수레·가마와 관리의 힘을 공급하라… 홍시(弘始)7년에 이르러 칙명으로
친히 믿음을 더하여 몸을 부축하고 말씀을 알리는 종자를 각각 30명씩 두게 되
었다. 승정이란 제도가 생긴 것은 승곽에서부터 비롯된 것이다.[3]

라고 칙령을 내린 기록이 보인다. 이것이 승관제의 성립을 알리는 기사라고 『고승전』에서
는 기술하고 있는데 홍시년간은 399년에서 416년 사이이다. 홍시 7년이 405년이므로 최소
한 399년에서 405년 사이에 승관제가 성립되었을 것이다.

　『불조통기』에 의하면 승곽(僧䂮)이 승주로 임명된 시기를 홍시 3년으로 보고 있다.[4] 융
안(隆安) 5년은 후진의 홍시 3년(401)에 해당되는데, 『석씨계고략(釋氏稽古略)』권2에서
는 이 시기를 홍시 7년(405)[5]으로 파악하고 있다. 이영석은 이 당시 구마라집(鳩摩羅什)이
장안에 온 것이 홍시 3년이므로 구마라집이 들어옴으로서 장안불교계가 급격히 팽창하는
과정에서 승단통제의 필요성으로 말미암아 시작되었다고 파악하고 있다. 두 가지 사료를
비교해 볼 때 북위의 승관제가 후진의 요흥 시기 보다 앞선 것으로 보인다.

　승관제 관련 기사의 북위불교와의 관계를 찾을 수 없지만, 당시 북방의 위정자들은 급

3　한글대장경 『高僧傳』 (서울, 동국역경원, 1998),p. 207.

4　『佛祖統記』卷36 (大正藏 권49, p.341) "五年 秦羅什法師於逍遙園譯妙法蓮華經 秦主於草堂寺與三千僧 手執舊經重加參定 勅
　　僧䂮等諮受什旨 以僧尼多濫 令僧為國僧正 秩同侍中給車輿吏力 法欽為僧錄 僧遷為悅眾班秩有差各給親信白從三十人".

5　『釋氏稽古略』卷2 (大正藏 권49, p.786) "僧正悅眾僧錄後秦法師道䂮羅什弟子 奉律精苦 秦主重之 自什公入關僧尼以萬數 遂
　　置僧正詔曰 大法東流於今為盛 僧尼寖多 宜設綱領宣授遠規以濟頹緒 䂮法師早有學誼 晚以德稱 可為國僧正 給與吏力資侍
　　中秩 傳輅羊車各二人 又以僧遷禪慧為悅眾 以法欽慧斌為僧錄 班秩有差 日加親信 仗身白從各三十人".

　　　　　　　　　　　　　　　　　　　　　　　　　　제1장. 북위불교(北魏佛教)의 특징

격히 성장한 불교에 대한 통제의 필요성을 느꼈던 것으로 볼 수 있다. 이러한 성장 이면에는 강력한 전제왕권을 유지하던 북조의 정치적 성향과 연관되어 살필 수 있다. 강력한 전제적 정치권력의 한 축에 종교적 통제를 실시해서 종교를 통한 정치적 안정화의 과정을 거친다고 할 수 있다.

남북조시기 북조 최초의 국가인 북위는 승관제를 중심으로 불교가 발전될 수 있었다. 이러한 강력한 승관제의 도움 없이는 운강석굴과 같은 거대한 불사를 단기간 내에 전개한다는 것이 쉬운 일은 아니었을 것이다. 승관제는 강력한 국가의 비호 아래에서 불교를 발전시킬 수 있는 동력을 제공하지만 반대로 불교가 국가에 예속화될 수 밖에 없는 치명적인 요인을 갖추고 있다. 이러한 요인을 중심으로 북위불교가 전개되는 과정을 살피고자 한다.

북위에 있어서 승관제의 성립과 발전 과정은 도인통(道人統) 법과(法果)를 통해 살펴볼 수 있다. 그의 행적 속에서 살펴지는 '승관(僧官)'과 '황제는 곧 여래(皇帝卽如來)'라는 사상은 북위불교의 국가불교화 경향을 살필 수 있는 중요한 단서다.

법과에 대한 기록은 양(梁) 『고승전(高僧傳)』이나 당(唐)의 『속고승전(續高僧傳)』에서는 등장하지 않고 있다. 법과에 대한 기록이 남아 있지 않다는 점은 매우 미묘한 문제라고 할 수 있다. 법과의 경우 『위서』 「석로지」에 등장하고 있는 매우 단편적인 기사를 통해 살펴볼 수 밖에 없다. 법과의 경우처럼 북위불교를 대표하는 도인통(道人統)의 직위에 올랐던 인물에 대한 기사가 적은 점은 법과의 성격을 알 수 있는 매우 중요한 단서가 될 것이다.

법과의 출생지는 조군(趙郡;현재의 하북성(河北省) 조현(趙縣))출신의 고승이다. 법과의 경우 40여 세를 넘겨 출가를 했다고 한다. 석로지에서 불법에 대해 해박한 지식이 있어 태조가 초빙했다고는 하지만 이 말에 대한 사실 여부는 의심이 가는 점이 많다. 양(梁) 『고승전(高僧傳)』같은 경우는 『속고승전(續高僧傳)』 서문에서 기술하듯이 남조(南朝)의 승려를 중심으로 기술했고 북조(北朝)의 고승은 별로 다루지 않았다고 하더라도, 『속고승전』에서는 북조의 고승들을 다루려 노력했음에도 법과(法果)에 대한 기록이 남아 있지 않는 점으로 보아 법과의 경우는 북위불교 교단의 통제를 목적으로 태조에 의해 등용되어진 것이 아닌가 하는 의문을 자아낸다. 가마다시게오(鎌田茂雄)도 그의 저술에서 법과(法果)를 '의해(義解)나 선정(禪定)의 승려가 아닌 신이력(神異力)을 갖춘 승려이거나 아니면, 정치와 종교정책을 교묘히 조정할 수 있는 요승(妖僧)의 부류에 속한 사람일지도 모른다.'[6]라고 기술하고 있다.

이러한 법과의 성향을 살필 수 있는 또 하나의 단서는 앞서서 언급한 출신 지역의 문제이다. 법과의 출신지인 조군(趙郡)의 경우는 한인문벌지주 계층인 이순(李順)[7]같은 걸출한 인물이 등장한 지역이며 조군 출신의 중앙관리들이 상당히 많았다고 전해지고 있다. 선비족 계층의 외국계 왕조였던 북위왕실은 북조의 문벌귀족을 통치의 수단으로 포섭했는데, 법과도 이러한 연결고리 속에서 찾을 수 있을 것으로 생각할 수 있다. 법과의 출신지인 조군의 경우는 현재 제남성 부근이다. 이 지역은 태조가 북위를 건국하고 점령한 산동육주(山東六州)지역이다. 따라서 산동지방 불교의 유입과 함께 불교계의 통제를 위해 법과라는 한인계 승려를 통해 불교를 통제하려는 것으로 볼 수 있다.

북위시대를 통틀어 사서 상에 등장하는 도인통(道人統) 혹은 사문통(沙門統)의 숫자는 7명 내외로 보인다. 법과(法果), 법달(法達)[8], 사현(師賢)[9], 담요(曇曜)[10], 승현(僧顯)[11], 혜심(惠深)[12], 승섬(僧暹)[13]등의 이름이 등장하고 있다. 이를 통해서 볼 때 북위에서 승려를 통솔하던 승관은 폐불기간을 제외한 시기에 걸쳐 존재하고 있었던 것으로 보인다.

---

6 鎌田茂雄, 앞의 책, p.278.

7 『魏書』卷 36, 「列傳」第24.

8 『高僧傳』卷11 (大正藏 권50, p.398) "有沙門法達 為偽國僧正".

9 『魏書』卷114, 志 第20, 「釋老志」 "於修復日 即反沙門 其同輩五人 帝乃親為下髮 師賢仍為道人統".

10 『魏書』卷114, 志 第20, 「釋老志」 "和平初 師賢卒 曇曜代之更名沙門統".

11 『廣弘明集』卷 24 (大正藏 권52, p.272) '帝以僧顯為沙門都統詔'에 기록되어 있다. 조칙의 내용은 다음과 같다. "門下 近得錄公等表 知欲早定沙門都統 比考德選賢寵寐勤心 繼佛之任莫知誰寄 或有道高年尊 理無縈紆 或有器玄識邈 高把塵務 今以思遠寺主法師僧顯".

12 『魏書』卷114, 志 第20, 「釋老志」 "世宗即位 永平元年秋 …… 二年冬 沙門統惠深上言".

13 『魏書』卷53, 「列傳」第41 '李孝伯父曾傳' "沙門都統僧暹等忿場鬼教之言 以場為謗毀佛法 泣訴靈太后 太后責之".

승관제도는 법과를 시작으로 하여 점차 직제(職制)가 개편되어 갔으며, 통솔하는 기관이 생겨 난 것으로 보인다. 북위 건국 초기에는 승려통제의 수단으로 법과를 도인통에 임명하여 북위의 승려들을 통제한 것이다.

북위가 폐불을 겪은 이후 불교부흥시기에 다시 도인통(道人統)에 임명된 사람은 사현(師賢)이었다. 이 때 까지도 전대의 전통에 따르는 도인통 제도가 있었음을 알 수 있다. 담요(曇曜)가 사문통(沙門統)에 임명되었던 당시에 북위의 승관제는 많은 변화를 겪었다.

담요 당시에 '도인통'의 명칭이 '사문통'으로 바뀌어 졌다는 점에 주목해야 한다. 사문통의 명칭은 앞서 살폈듯이 「석로지」에서 도인통이 개칭된 것이다. 『속고승전』에서는 '소현통(昭玄統)'이라는 명칭이 사용되었으며14, 『대송승사략(大宋僧史略)』에서는 '사문도통(沙門都統)'이라는 명칭15으로 담요의 승관명(僧官名)을 표현하고 있다. 사문통이라는 명칭의 개칭은 보다 불교적인 입장에서 승관명을 표현한 것이다. 일반적으로 사용되는 불교나 도교에서 병용될 수 있는 도인이라는 명칭보다는 보다 불교적인 명칭인 사문이라는 이름을 사용한 것은 중요한 변화라고 할 수 있다. 소현통(昭玄統)의 명칭은 승려를 통제하던 기구였던 감복조(監福曹)의 명칭이 소현(昭玄)으로 개칭되면서16 이 기구의 명칭에서 유래해서 붙인 이름으로 보인다. 『대송승사략』에는 감복조와 소현사에 관해 자세히 기술하고 있는데17 이 기구 안에는 대통(大統)한 명, 통(統)한 명, 도유나(都維那)세 명의 총 5인의 승관을 두었다는 것이다. 이 기록은 『수서(隋書)』 「백관지(百官志)」에도 등장하고 있다.18 감복조가 언제 시작 되었는지는 명확하지 않다. 순가이 하토리(服部俊崖)는 감복조의 설치 연대는 언급하지 않고 감복조가 소현으로 바뀌는 시기를 태화(太和) 21년(479)으로 파악

---

14 『續高僧傳』卷1(大正藏 권50, p.427) "釋曇曜 未詳何許人也 少出家 攝行堅貞風鑒閑約 以元魏和平年 住北臺昭玄統".

15 『大宋僧史略』卷中(大正藏 권54, p. 243) "詳究魏文帝勅曇曜為沙門都統 乃自曜公始也 曜即帝禮為師 號昭玄沙門都統".

16 『魏書』卷114, 志 第20 「釋老志」 "先是 立監福曹 又改為昭玄. 備有官屬 以斷僧務".

17 『大宋僧史略』卷中(大正藏 권54, p. 245) "後魏有云 初立監福曹以統攝僧伍 尋更為昭玄寺也 故隋百官志曰 昭玄寺掌佛教 署大統一人統一人都維那三人 置功曹主簿員 以管諸州郡縣沙門矣 後復改崇玄署焉".

18 『隋書』卷27, 志第22 「百官」 北齊官制 "昭玄寺 掌諸佛教 置大統一人 統一人 都維那三人 亦置功曹 主簿員 以管諸郡縣沙門曹 ."

하고 있다.[19] 이 시기는 「석로지」에 보이는 21년 조칙의 말미에 붙어 있는 점으로 유추한 것이다. 그리고 감복조의 설치 및 소현사로의 변경을 문성제(文成帝)시기로 파악하고 있다. 이에 반해 야마자키 히로시(山崎宏)는 감복조의 설치가 황시(皇始; 386~387)년간 내지는 천감(天監) 2년(399)으로 파악하고 있으며, 감복조에서 소현사로의 변경은 화평(和平) 초년(460)이던가 태화년간(477~499)로 파악하고 있다.[20]

이영석(李榮奭)은 승조(僧曹)의 명칭변화의 이유를 대사호관(帶司呼官)의 풍습에 따라 당시 담요가 소현통에 취임하는 것을 계기로 감복조에서 소현조로 바뀌었다고 추정하고 있다.[21] 이것은 『대송승사략』의 帶司呼官에 관한 내용에 따른 것이다.[22] 소현조(소현사)의 위치가 어사대(御史臺)에 접하고 있었던 것으로 보아[23] 소현조는 관조(官曹)지역에 위치한 기관으로 국가기관의 성격을 극명하게 보여준다고 할 수 있다.

또한 북위는 중앙의 승관만이 아닌 지방의 승관도 두었음을 볼 수 있다. 「석로지」안에서 지방 승관이 등장하는 기록[24]을 살필 수 있는데, 이 기록만 보아도 북위의 치밀한 승려통제의 의지를 살필 수 있다. 연흥(延興) 2년(472)의 기사만 보아도 민간교화를 위해 지방에 있을 때는 주진유나(州鎭維那)에게 수도에 있을 때는 도유나(都維那)에게 허락을 받아야 한다는 기록에서도 이러한 북위의 치밀한 승관조직의 일면을 살필 수 있다. 영평(永平) 2년(509)의 기사에서는 주(州), 진(鎭)은 물론 군유나(郡維那) 까지 설치된 것을 볼 때 북위지

---

19 服部俊崖, 「支那僧官の沿革」,『佛教史學』第五卷 2號), 李榮奭, 「南北朝時代 佛敎敎團의 統制에 관한 硏究」,『昌原大學 論文集』第10卷 第1號), p.32에서 재인용.

20 山崎宏, 『支那中世佛敎の展開』(東京, 1942), pp. 498~499), 같은 논문에서 재인용.

21 같은 논문, p.9.

22 『大宋僧史略』卷中(大正藏 권54, p. 245) "于時帶司呼官故曰昭玄大統".

23 양현지, 『洛陽伽藍記』 서윤희 옮김(서울, 눌와, 2001), p. 31

24 『魏書』卷114, 志 第20,「釋老志」"延興二年夏四月 詔曰 比丘不在寺舍 , 遊涉村落 交通姦猾 經歷年歲 令民間五五相保 不得容止 無籍之僧 精加隱括 有者送付州鎭 其在畿郡 送付本曹 若為三寶巡民教化者 在外齎州鎭維那文移 在臺者齎都維那等印牒 然後聽行 違者加罪"
"世宗即位…… 二年冬 沙門統惠深上言 僧尼浩曠 清濁混流 不遵禁典 精粗莫別 輒與經律法師群議立制 諸州 鎭 郡維那 上坐 寺主 各令戒律自修 咸依內禁 若不解律者 退其本次"
"二年春 靈太后令曰 年常度僧 依限大州應百人者 州郡於前十日解送三百人 其中州二百人 小州一百人 州統 維那與官及精練簡取充數"

제1장. 북위불교(北魏佛教)의 특징

역 전반에 승관제도가 널리 정착된 측면을 살필 수 있다.

이러한 여러 측면을 살펴 볼 때 북위는 사문통(沙門統)을 정점으로 하여 주(州), 진(鎭), 군(郡)에 이르는 지방지역 까지 승관제도 하에서 통제를 실시하려고 했다. 이러한 황제의 권위를 기반으로 중앙통제적인 국가불교의 모습을 극명하게 드러낸 것이 북위불교의 중요한 특징이다.

(2) 황제즉여래(皇帝卽如來) 사상

북위의 국가불교적인 특징의 또 다른 중요한 축은 '황제가 부처라'는 황제즉여래(皇帝卽如來)사상이라고 할 수 있다.

법과(法果)가 황제를 여래로 묘사하는 부분이 있다.

> 태조는 명철하고 불도(佛道)를 좋아하므로 바로 현재의 여래(如來)다. 사문(沙門)은 당연히 예를 다 하여야 한다. 도(道)를 전하는 사람은 인주(人主)다. 나는 천자(天子)를 예배하는 것이 아니라 바로 부처님을 예배하는 것이다.[25]

법과는 태조를 '당금(當今)의 여래(如來)'라 하고, 사문은 반드시 예배하지 않으면 안 된다고 했다. 불교를 펴는 천자는 단순한 천자가 아닌 인주(人主)이며 부처님과 동일하다고 하는 것이다. 이것은 천자와 여래를 동일시함으로서 지상의 권위와 종교적 권위를 일체화하려는 시도로 파악할 수 있다. 이러한 과정이 북위불교의 국가불교로서의 시발점이라고 할 수 있다.

전진(前秦) 도안(道安)의 경우

---

25 『魏書』卷114, 志 第20,「釋老志」"法果每言 太祖明叡好道 卽時當今如來 沙門宣應盡禮 遂常致拜 謂人曰 能鴻道者人主也 我非拜天子 乃是禮佛耳".

지금 흉년을 만나니 국주(國主)에 의지하지 않고는 법사를 세울 수 없다. 또한
교화의 바탕은 널리 포교를 베푸는 데 있다.[26]

이러한 도안은 불교포교과정의 황제의 중요성을 인식하고 있다고 볼 수 있다. 도안은 남북조시대보다 약간 앞선 오호십육국(五胡十六國)시대의 고승이었다. 이러한 중국불교사의 성격형성에 중요한 역할을 행하는 도안의 경우에서도 불교와 황실과의 관계를 무시할 수 없는 입장에서 바라보았다면 북위라는 강화된 황권을 가진 국가의 경우는 더 말할나위가 없다.

약간 앞서 오호십육국시기의 하(夏)의 혁련발발(赫連勃勃)은 본인을 '사람들 사이에서부처'라고 하고 본인이 예배를 받아야 한다고 하며 본인으로 바꾼 불화를 그리게 하여 사문들에게 예배하게 하였다고 한다.[27] 스즈키 케조(鈴木啓造)는 이러한 오호십육국 시대에군주가 여래라고 하는 것이 중요한 찬사 중의 하나로 여겼다고 한다.[28] 이러한 오호십육국 시기의 북방군주의 기본적 성향은 북위에 있어서도 극명하게 나타났다고 할 수 있다.

북위황제의 경우는 그 성격에 관해 유목형 군주라는 특성을 부가하기도 한다.[29] 유목형 군주의 특징은 전쟁에서부터 모든 것을 관장하는 구보이다. 유목사회는 약탈을 중심으로 하는 기본 구조라고 할 것이다. 즉 그 수장의 친정(親征)→약탈→반사행위의 과정을 거치는데, 그 정점에는 지도자가 존재하는 것이다. 즉 구조적으로 수장의 지위가 강할 수밖에 없다. 북위 건국 이후에도 황제들의 친정이 많다는 것은 바로 이러한 북위의 유목형 군주성격에 기인한 것이다. 이러한 지배체제 하에서 황권은 그 어떤 시대보다 강한 힘을 가지고 있었으며, 불교의 생사여탈권도 황제의 손에 놓여지는 것은 자명한 일이다.

---

26 『高僧傳』卷5 (大正藏 권50, p.352) "今遭凶年 不依國主則法事難立 又教化之體宜令廣布".

27 『辯正論』卷7(大正藏 권52, p.540) "宣驗記云 …… 仍自言曰 佛佛是人中之佛 堪受禮拜 便畫作佛像 背上佩之當殿而坐 令國內沙門向背禮像 即為拜我".

28 鈴木啓造,「皇帝卽菩薩と皇帝卽如來について」(『佛教史學』第10卷 第1號, 1962), p. 4.

29 박한제, 『講座 中國史』II「胡漢體制의 展開와 그 構造』(서울, 지식산업사, 1989) pp. 99~101.

황제가 부처라는 북위불교의 사상은 국가불교의 중요한 단서로서 후대에 어떠한 방식으로든 영향을 미치고 있는 것을 볼 수 있다. 이러한 이면에는 태조의 불교통제 정책의 일면을 볼 수 있는 것이다. 물론 法果의 발언의 진위는 의심되는 점이 있기도 하지만 단편적으로나마 보이는 법과의 성향으로 보아 발언의 맥락은 북위불교 성격의 축이 될 것이며, 운강석굴의 개착에 있어서 국가불교와의 고리를 찾을 수 있는 중요한 자료일 것이다.

이러한 사상이 후대에 미친 영향은 『광홍명집(廣弘明集)』에 있는 '주고조순업제진불법유전승임도임상표청개법사(周高祖巡鄴除殄佛法有前僧任道林上表請開法事)'에 있는 북주(北周) 무제(武帝)의 기사를 통해서도 살펴볼 수 있다. 이 기사가 중요한 것은 북위의 '황제즉여래'의 사상이 지속적으로 영향을 미치고 있다는 증거를 보여주는 것이기 때문이다. '황제즉여래(帝王即是如來)'라고 하는 말30에서 볼 때 북조의 황실이 지속적으로 황제가 여래라고 하는 북위 초반의 사상을 승계하고 있는 것으로 보인다. 북주 무제는 폐불을 일으킨 인물로 이러한 북주무제의 사상은 폐불을 정당화시키는 도구로도 사용될 수 있다는 점을 간과해서는 안 된다.

'왕은 부처다(王即佛)'이나 '황제는 여래다(皇帝即如來)'의 사상은 국가불교화의 중요한 기초를 이루는 토대라고 할 수 있다. '승관제(僧官制)'라고 하는 중요한 불교에 대한 통제의 수단과 더불어 이러한 사상은 국가불교화의 단서로 북위전반을 이끌어 갔으며, 후대에까지 널리 영향을 미치고 있는 것이다. 북위시대 불교도들은 강력한 북방군주권 하에서 자생을 위한 노력의 일환으로 이러한 제도를 구현한 것이다. 이러한 제도를 통해 북위불교가 국가의 테두리 안에서 존속되어질 수 있는 매우 중요한 점이라고 할 수 있다. 이것은 앞서 언급했던 것처럼 남조불교와는 다른 북조불교의 독자적인 생존방식이라고 할 수 있을 것이다.

---

30 『廣弘明集』卷10(大正藏 권 52, p. 154) "帝曰 卿言業不乖理 凡有入聖之期 性非業外 道有通凡之趣 此則道無不在凡聖該通 是則教無孔釋虛崇 如是之言 形通道俗 徒加剃剪之飾 是知帝王即是如來 宜停丈六 王公即是菩薩 省事文殊".

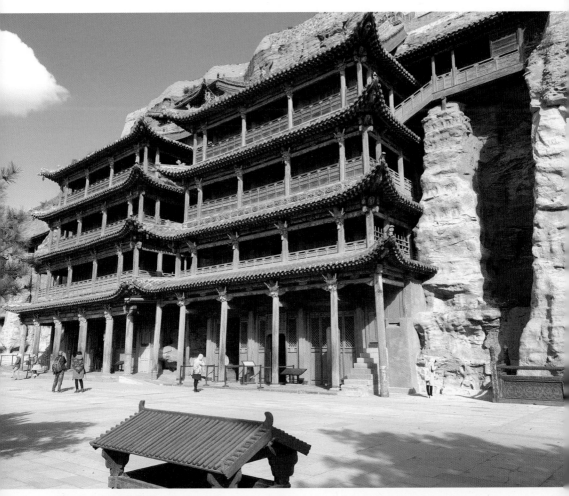

도24 운강석굴 5, 6굴 전실

제1장. 북위불교(北魏佛教)의 특징

도25 운강석굴 5굴 전실

도26 운강석굴 5굴 입구 보리수와 선정불좌상

　　　　　　　　　　　　　　　　　　　　　　제1장. 북위불교(北魏佛敎)의 특징

도27 운강석굴 5굴 북벽 대불좌상

도28 운강석굴 5굴 서벽 불입상

　　　　　　　　　　　　　제1장. 북위불교(北魏佛敎)의 특징

도29 운강석굴 5굴

도30 운강석굴 5굴

제1장. 북위불교(北魏佛敎)의 특징

도31 운강석굴 5굴

도32 운강석굴 5굴 남벽

제1장. 북위불교(北魏佛敎)의 특징

도33 운강석굴 5굴 남벽

2. 태무제의 폐불

불교가 남북조시기를 거치면서 중국 내에서 정착단계를 이루는데 북조에서의 정착과
정은 북위시대를 통해서 완성되었다고 볼 수 있다. 하지만 북위불교는 정착화 과정 속에
서 '폐불(廢佛)'이라고 하는 사건을 거치고 있으며, 이러한 폐불의 과정을 통해 불교의 국
가관(國家觀)과 불교의 존립이라는 양쪽의 측면에 대해 새롭게 보는 시각을 가질 수 밖에
없었다. 폐불이 끝난 뒤 북위불교는 황실과 공고한 관계를 구축하고 북위황실이 가지고
있지 못한 정통성 부분을 불교를 통하여 마련해 주었으며 불교는 황실의 물적·제도적 후
원 아래에서 성장 할 수 있었다. 이러한 부분은 조금 더 확대해서 살펴보아야 한다.

최호(崔浩)와 구겸지(寇謙之)에 의한 폐불(廢佛)은 단순한 불교탄압이라고 보기 어렵
다. 폐불은 불교가 중국사회에서 정착하는 시점에서 중국전통사상과 불교와의 충돌을 보
여주는 것이다. 또한 폐불의 과정을 살펴보면 이민족왕조의 중국사회 정착에 대한 시사점
이 있다. 중국북방에 남아서 이민족 지배 하에서 숨죽이고 있던 한족중심의 사고를 가진
지식인 집단이 최호와 구겸지를 통해 이민족왕조의 지배질서를 중국적 틀로 재구성하려
하는 일련에 과정에서 폐불이라는 사건이 발생하였다. 이러한 시도는 미완의 혁명으로 끝
나고 만다. 폐불 뒤 북위의 지배층은 불교와 손잡음으로서 북위가 중국에 정착하는 사상
적 기반을 불교를 통해 구축한 것으로 보인다.

북위 태무제의 폐불은 중국불교사에 있어서 매우 중요한 사건이다. 불교를 폐지한다는
폐불은 중국역사상 유래를 찾을 수 없는 처음 발생한 초유의 사건이었다.

불교계는 폐불이라는 초유의 사태를 맞이하여 정체성의 위기를 느낄 수밖에 없었다.
폐불이라는 혹독한 시련에 불교계는 생존을 위한 나름대로의 입장을 정리할 수밖에 없었
다. 이것은 강력한 왕권 하에 있던 북위불교계로서는 다른 선택의 대안이 보이지 않는 문
제라고 밖에 할 수 없다. 이러한 과정을 통해 북위불교의 특징인 국가불교적 성격을 극명
하게 나타내게 했다고 본다.

태무제는 북방지역의 오호시대를 마감하고 화북지방을 통일한 황제다. 세조시기부

터 비로소 남북대립 구도인 남북조시대가 개막되었다. 세조는 통일정책을 지향함에 있어서 선대로부터 계승된 정책을 유지하였다고 할 수 있다. 이러한 태무제의 통일정책은 '전제정치(專制政治)'와 '호한융합정책(胡漢融合政策)', '대불정책(對佛政策)'의 세 가지를 들 수 있다.[31] 이러한 태무제가 갑자기 불교를 배척하게 된 원인에 관해서 초기의 연구가였던 도키와 다이조우(常盤大定)는 폐불의 원인을 태무제의 '나이가 어려서'라고 보기도 했다.[32] 이러한 견해는 폐불의 원인을 단순히 보는 데서 기인한다고 볼 수 있다.

하지만 폐불의 배경은 태무제가 화북통일에 따른 새로운 정치적 이념과 새로운 문화질서를 갈망한 것으로 보인다. 이러한 과정 속에서 폐불이라는 행위를 통해 정치적으로는 유교적 지배질서를 구축하고 문화적으로는 도교문화를 발전시키려는 시도를 한 것으로 보인다. 학자들 간에는 폐불의 원인을 최호와 구겸지를 통해서 보려고 시도하기도 한다.[33] 그러나 이러한 사건의 뒤에는 태무제의 정책변화의 의지가 있었던 것으로 보인다.

(1) 태무제(太武帝)의 불교관

세조(世祖) 태무제는 일단의 정복전쟁을 통해 화북지역을 통일할 수 있었다. 통일정책과 그의 불교관은 매우 깊은 연관성을 가지고 있다. 태무제의 불교에 대한 정책은 북위가 통일왕조로 자리 잡을 수 있는 방식에 대한 태무제나 북위 위정자들의 정책과 깊이 관련될 수 있기 때문이다.

화북통일은 이전의 북위가 지니고 있던 호족(胡族)중심의 지배질서에 수정을 가할 수 있는 계기가 되었다. 이러한 지배질서의 재 배치는 북위가 화북을 통일함으로써 그들만의 지배질서가 아닌 한족을 아우르는 지배질서의 필요성에서 기인한 것이다.

태무제에 관한 기록을 위서를 통해 살펴보면 그는 태상(泰常) 8년(423년)에 제위에 올

---

31 李榮羲, 앞의 논문 pp.32~38.
32 常盤大定,『支那に於ける佛教と儒教道教』(東京, 東洋文庫, 1930), p.579.
33 湯用彤, 앞의 책, p. 494.

도34 통만성

랐다.³⁴ 당시 남조(南朝)의 송(宋)은 '원가(元嘉)의 치(治)' 시기로 안정 되었다. 북방에서는 혁련발발(赫連勃勃)의 아들 혁련창(赫連昌)이 하왕(夏王)으로 통만성(統萬城)에 있었다.

태무제는 427년 혁련창을 토벌하여 통만성을 점령하였다. 하(夏)를 점령한 태무제는 잇달아 436년 북연(北燕)을 멸망시켰고, 439년에는 마침내 북량(北凉)을 점령하여 마침내 북방을 통일하게 된다.³⁵ 이러한 북방의 통일을 통해 북위는 남조와 대치되는 본격적인 위진남북조 시기를 연다.

폐불 이전 시점의 태무제의 불교정책은 태조 도무제 이래로 내려오는 불교에 대한 관점을 고스란히 유지하고 있다고 할 수 있다. 이러한 불교정책은 도불병용책(道佛並用策)이라고 할 수 있다. 태무제의 불교 관련기사는

> 세조(世祖)는 즉위하여 태조(太祖)와 태종(太宗)의 업적을 따라 항상 덕이 높은 사문을 초청하여 담론하였다. 4월 8일에는 여러 불상을 싣고 큰 길을 행진했으며, 세조는 친히 문의 누각에 올라 관람하면서 꽃을 뿌리고 예경을 다하였다.³⁶

---

34 『魏書』卷4「帝紀」第4, 世祖太武帝燾, "世祖太武皇帝 諱燾 太宗明元皇帝之長子也 母曰杜貴嬪 天賜五年生於東宮 體貌異 太祖奇而悅之 曰 成吾業者 必此子也 泰常七年四月 封泰平王 五月 爲監國 太宗有疾 命帝總攝百揆 聰明大度 意豁如也 八年十一月壬申 即皇帝位 大赦天下".

35 이공범, 앞의 책, p. 140.

36 『魏書』卷114, 志 第20 「釋老志」, "世祖初即位 亦遵太祖太宗之業 每引高德沙門 與共談論 於四月八日 輿諸佛像 行於廣衢 帝親御門樓 臨觀散花 以致禮敬".

제1장. 북위불교(北魏佛敎)의 특징

라는 기사에서 볼 수 있듯이 그의 즉위 초기는 이전의 불교정책을 유지하는 수준에서 불교를 수용하고 있었다. 이는 도무제 이래로 시행되어온 국가불교적인 기틀을 중심으로 불교를 존중하고 있는 태도를 견지하고 있었던 것으로 보인다. 특히 당시에 행해졌던 행상(行像)의 기록은 북위불교문화의 단면을 살필 수 있는 중요한 증거이다.

태무제는 전쟁의 과정에서 각지의 불교를 가져오는 역할을 했다. 선대왕들의 전례에 따라 사문들을 존중하여 초청한 기록도 존재한다. 특히 세조와 관련된 승려로는 라집(羅什)의 문하였던 혜시(惠始)가 있었다. 혜시는『고승전』에 있는 담시(曇始)와 동일인물이다.[37] 혜시와 같이 선정 수행자이면서 학자인 승려를 중앙에서 받아들였다는 것은, 평성불교발전에 많은 영향을 미친 것으로 볼 수 있다. 선정 중심적인 전통은 석굴조성에 있어서 중요한 단초가 될 수 있다. 선정 수행의 장소로서 석굴은 서역지방에서 사용되어 왔기에 북위 불교에서 선정수행의 기풍과 석굴의 결합이 나타나는 중요한 단서라고 할 수 있다.

북위가 하(夏)의 통만성(統萬城)을 함락하자 담시는 평성으로 가서 많은 이들을 교화했다. 세조는 담시를 중히 여겨 예경을 다했다. 담시는 태연(太延)년간에 팔각사(八角寺)에서 앉아서 세상을 떠났다. 태평진군(太平眞君) 6년(445), 평성의 성안에 시체를 묻는 것을 금지하는 칙령이 내려져 남쪽의 교외에 매장했다. 이 해는 담시가 죽은 지 10년 뒤라 하므로 담시는 435년에 입적했다. 북량이 멸망한 것이 439년이므로 북량지방에서 유래한 양주지역의 불교가 평성으로 옮겨지기 전 혜시는 세상을 떠난 것이다. 통만성이 함락된 것이 427년이므로 혜시는 7, 8년간 평성에 있으면서 신이(神異)를 나타내었으며 많은 사람들의 존경을 받았다. 445년에 담시의 시체를 재매장했을 때 천여 명이 감회의 눈물을 흘렸다고 하는 것은 이 신이승이 평성 사람들에게 얼마나 존경을 받았는지 잘 말해주고 있다. 담시의 묘는 태무제의 폐불사건

---

37 李英澍, 앞의 논문, P.39

때에도 파괴되지 않았다.[38]

담시의 경우는 선정에 관해 특히 두각을 나타내고 있었으므로 북위 평성의 불교에 그가 미친 영향이 크다면 후에 유입된 양주불교의 선정(禪定) 중심의 불교와 융합되어 태무제 이후 불교의 성격을 보이고 있다고 볼 수 있다. 이러한 선정적 전통은 북위 석굴의 개착에 있어서 지대한 영향을 미치고 있으며 북위가 다른 여타의 국가들보다 석굴의 개착이 활발히 이루어진 것에 대한 증거로 충분하다.

태무제의 불교관을 살필 수 있는 다른 기사는

> *세조가 즉위하여 불법에 귀의하고 사문을 존중했다. 비록 경전을 읽지는않았*
> *지만 연기, 과보의 뜻은 깊이 구하였다.*[39]

태무제의 불교관을 알 수 있는 대목인데 앞의 몇 가지 기사에서 알 수 있듯이 그는 불교에 대해서 전대황실의 전통을 이어 받은 것은 분명하다. 하지만 그의 봉불에 대한 기사에서도 보여지 듯이, 그는 불교에 대하여 깊은 관심을 가지고 있다고는 볼 수 없을 것으로 여겨진다.

그의 태도를 살펴보면 그는 확고한 통일의 기반을 확립시키기 위해 호(胡)·한(漢) 양자를 일괄해서 통치하는 방법을 견지한 것으로 보인다. 이러한 호한체제의 과정에 있어서 그는 불교에 관해서는 그다지 깊은 관심을 기울이지 않았으며 후에 전개될 최호나 구겸지

---

38 『魏書』卷114, 志 第20,「釋老志」에는 혜시에 관하여 "世祖初平赫連昌 得沙門惠始 姓張 家本淸河 聞羅什出新經 遂詣長安見之 觀習經典 坐禪於白渠北 晝則入城聽講 夕則還處靜坐 三輔有識多宗之 劉裕滅姚泓 留子義眞鎭長安 義眞及僚佐皆敬重焉 義眞之去長安也 赫連屈丐追敗之 道俗少長咸見坑戮 惠始身被白刃 而體不傷 大怪異 言於屈丐 屈丐大怒 召惠始於前 以所持實劍擊之 又不能害 乃懼而謝罪 統萬平 惠始到京都 多所訓導 時人莫測其 世祖甚重之 每加禮敬 始自習禪 至於沒世 稱五十餘年 未嘗寢臥 或時跣行 雖履泥塵 初不汙足 色愈鮮白 世號之曰白脚 太延中 臨終於八角寺 齊潔端坐 僧徒滿側 凝泊而絕 停屍十餘日 坐既不改 容色如一 擧世神異之 遂瘞寺內 至眞君六年 制城內不得留瘞 乃葬於南郊之外 始死十年矣 開殯儼然 初不傾壞 送葬者六千餘人 莫不感慟 中書監高允爲其傳 頌其德 惠始也 立石精舍 圖其形像 經毁法時 猶自全立" 기록하고 있다.

39 『魏書』卷114, 志 第20,「釋老志」"世祖即位 , ...雖歸宗佛法 , 敬重沙門 , 而未存覽經教 , 深求緣報之意 ."

제1장. 북위불교(北魏佛敎)의 특징

를 통한 유교나 도교와의 결합을 통해 그 실마리를 찾은 것으로 여겨진다.

(2) 폐불(廢佛)

북위의 폐불은 국가불교화 과정에 있어서 또 하나의 중요한 시사점을 찾을 수 있는 부분이다. 폐불로 인해 북위불교는 많은 변화의 과정을 겪었으며, 이러한 변화는 북위불교의 국가불교적 성격 형성에 또 하나의 토대가 되었다.

북위 태무제(太武帝; 世祖)에 의한 폐불은 446년에 단행되었다. 태무제의 조칙은

> 지금 이후 감히 이민족의 신(胡神)을 받들거나 형상·니인(泥人)·동인(銅人)을 만드는 사람이 있으면 가문을 주살(誅殺)한다. 이민족의 신(胡神)을 말하고 있지만 지금의 이민족(胡人)에게 물으니 모두 없다고 한다. 이것은 모두 앞서 한인의 무뢰한 자제인 유원진(劉元眞)과 여백강(呂伯强)의 무리가 이민족의 거짓말을 접하고, 노장(老莊)의 허가(虛假)를 이용하여 그것에 덧붙여 늘인 것이니 모두 진실이 아니다. 왕법을 폐하여 행하지 못하게 하니 무릇 매우 간사한 이의 우두머리다. 범상치 않은 사람이 있은 연후에 능히 범상치 않은 일이 일어나는 법이다. 짐이 아니면 누가 능히 역사의 거짓덩어리를 제거하겠는가? 신하는 정진제군(征鎭諸軍)과 자사(刺史)에게 알려서 모든 불상과 불경이 있으면 찢고 태우며 사문은 나이 많고 적음에 상관없이 모두 파묻어라(坑).**40**

라는 내용으로 되어있다. 그리고 이러한 조칙의 직접적인 발단 원인은 태무제 당시 관중(關中) 지방에서 일어난 개오(蓋吳)의 반란을 진압하기 위해 장안에 태무제가 머물렀을

---

40 『魏書』卷114, 志 第20,「釋老志」“自今以後 敢有事胡神及形像泥人 銅人者 門誅 雖言胡神 問今胡人 共云無有 皆是前世漢人無賴子弟劉元眞 呂百强之道 接乞胡人誕言 用老莊之虛假 附而益之 皆非眞實 至使王法廢而不行 蓋大姦之魁也 有非常之人 然後能行非常之法 非朕熟能去此歷代之僞物 有司宣告征鎭諸軍 刺史 諸有佛圖形像及胡經 盡皆擊破焚燒 沙門少長悉坑之”.

때, 신하가 승려가 사는 집으로 들어가서 대량의 활과 창, 방패가 있는 것을 보고 태무제에게 이것을 알렸다.

태무제는 이에 화를 내며 이것은 사문이 사용하는 것이 아니니 개오와 서로 내통하여 사람을 해칠 음모를 꾸미고 있는 것이 틀림없다고 하였다. 이에 관리에게 명하여 사찰을 조사하고 문책하며 재산을 검열한 결과 대량의 술 만드는 기구와 주군의 지방 장관이나 부호가 맡긴 은닉물자가 발견되었다. 더구나 그 수는 헤아릴 수 없을 정도로 많았다. 또한 밀실을 만들어 귀족의 자녀와 은밀히 음란한 행위를 하고 있었다.

태무제가 사문의 비법(非法)에 화를 내는 것을 보고 보좌하던 최호는 이때를 놓치지 않고 불교훼석(佛敎毀釋)의 의견을 진언했다. 황제는 칙명을 내려 장안의 사문을 죽이고 불상을 불태웠다. 또한 수도 평성에 머물던 태자 황(晃)에게 칙명을 내려 사방에 명령하여 장안과 마찬가지로 폐불을 단행할 것을 명했다.[41]

「세조기(世祖記)」에 따르면 "3월에 모든 주에 조칙을 내려 사문을 웅덩이에 묻고 모든 불사를 파괴하라."라고 되어있으며 폐불령 후 1개월이 지난 4월에는 업성(鄴城)의 오층탑이 파괴되었다고 전하고 있다.

이러한 폐불의 단면은 일방적인 불교탄압의 측면으로 이해해서는 안 된다. 불교탄압의 배후에는 북위 왕실의 변화가 담겨 있다. 태무제 당시는 양주(涼州)의 불교가 북위의 북량(北涼) 정벌을 통해 평성으로 들어왔던 시기이다. 불교 교단에 있어서 특히 태무제의 장남인 공종(恭宗; 晃)이 당시 양주불교계의 대표였던 현고(玄高)에게 사사받았던 것으로 볼 때, 당시 불교계는 사회적으로 중요한 위치에 있었던 것으로 보인다. 불교는 이전의 법과(法果)를 비롯한 북위불교 초기 개척자들에 의해 북위 사회에 기반을 간직하고 있었으며, 활발한 정

---

41 『魏書』卷114, 志 第20,「釋老志」"會蓋吳反杏城 關中騷動 帝乃西伐 至於長安 先是 長安沙門種麥寺內 御騶牧馬於麥中 帝入觀馬 沙門飲從官酒 從官入其便室 見大有弓矢矛盾 出以秦聞 帝怒曰 此非沙門所用 當與蓋吳通謀 規害人耳 命有司案誅一寺 閱其財產 大得釀酒具及州郡牧守富人所寄藏物 蓋以萬計 又爲屈室 與貴室女私行淫亂 帝卽忿沙門非法 浩時從行 因進其說 詔誅長安沙門 焚破佛像 勅留台下四方令 一依長安行事".

복전쟁의 와중에서 다양한 불교사상과 승려가 평성지역으로 유입되어 불교가 안정적으로 발전될 수 있는 기반을 갖추었던 것으로 보인다.[42]

이러한 불교 세력은 444년 현고와 혜숭(慧崇)이 최호(崔浩)와 구겸지(寇謙之)에 의해 살해 당하면서 급격히 세력이 약화되었다.

당시 천사도(天師道)를 새로 개편하여 도교(道敎)를 만든 구겸지는 도교의 가르침을 넓게 펼치려 하였으며, 최호는 유교 국가의 성립을 통해 문벌체제의 복권을 꿈꾸었다. 최호의 이러한 생각은 한인 문벌귀족에 의한 지배질서 확립이라는 명제를 위해 외래종교인 불교에 대한 대대적인 탄압을 벌인다.[43]

구겸지는 천사도를 개혁하고 도교를 깨끗하게 정리하여 국가 도교를 창립함으로써, 정치와 종교의 통합을 의도한 것으로 보인다. 구겸지는 시광년간(始光年間; 424~427) 초에 도서(道書)를 태무제에게 헌납했다. 태무제는 구겸지를 사신으로 삼아 옥백(玉帛)과 희생을 바쳐 숭악(嵩岳)에 제사 지내고 숭악에 있는 구겸지의 제자들을 맞아들였다. 태무제는 천사(天師)를 숭배하고 새로운 천사도를 현양했으며, 이것을 천하에 선포하기 위해 준엄을 크게 행하였다. 최호도 천사에 봉사하고 정성을 다해 예배했으며, 사람들이 싫어해도 전혀 상관없이 천사를 받들었다. 북위의 수도 평성에서 국립도단의 성격을 띤 도교묘(道敎廟)가 창건되었으며, 구겸지는 종교를 담당하고 태무제를 보좌하는 중요한 도사의 지위를 차지했다. 구겸지에게 사사한 최호도 다시 정치의 중핵으로 복귀하여 실권을 장악하였다.[44]

구겸지의 새로운 도교 개혁 운동은 신서(神瑞) 2년에 만들어진 『운중음송신과지계(雲中音誦新科之誡)』가 도교국가 수립을 위한 법전(法典)으로 성립되고, 이 시점에서 유불도(儒佛道)를 일체화한 신천사도(新天師道)의 사상을 확립한 것이다. 또한 태상(泰常) 8년(416-423)에 신천사도(新天師道)의 교단조직이 정비되고, 여기에 태무제를 북방태평진군

---

42 鎌田茂雄, 앞의 책, pp.289~292, p.335.

43 拙稿, 「北魏時代 國家권력과 불교와의 관계」(『佛敎研究』19, 2003, 서울, 한국불교연구원)

44 鎌田茂雄, 앞의 책, p. 310.

(北方泰平眞君)으로 모시는 도교국가 실현의 기반이 사상적으로는 물론 교단적으로도 확립될 준비가 완료되었다. 구겸지가 목표로 한 신천사도의 목적은, 농민 기의(起義)가 이용하던 원시 도교에 반대하여 정교 합일의 봉건왕조를 건립하고, 봉건적인 계급통치를 확고하게 하기 위함이었다고 할 수 있다.[45] 이러한 도교적 국가 확립과정은 국가 불교화의 과정과 유사한 것이다. 법과에 의해 불교에서는 황제를 '당금(當今)의 여래(如來)'라고 주장하였는데 도교에서는 태무제를 북방태평진군으로 표현함으로써 도교와 황실과의 관계를 설정한 것으로 보인다.

신가 4년(431)에 최호는 사도(司徒)에, 정서대장군(征西大將軍) 장손도생(長孫道生)은 사공(司空)에 임명되었으며, 함께 태무제의 보좌역으로 중용되었다. 최호가 사도가 된 신가 4년에 정륜궁(靜輪宮)이 건립되었으며, 최호의 세력 상승과 함께 구겸지의 발언력도 증대하였다. 구겸지가 태상(泰常) 8년에 숭산(嵩山)에서 계시를 받아 북방태평진군(北方泰平眞君)을 보좌하여 천부정륜(天富靜輪)의 법을 펴는 것이 비로소 현실로 실현되어 구체화되었다.

신가(神麚) 4년(431) 북위의 수도 평성에 국립도관(國立道觀)이 세워졌으며, 주와 진에도 많은 도관을 건립하고 도단(道壇)에는 도교를 배우는 학생 2백 명을 두었다.[46] 중앙뿐 아니라 지방에도 도단이 설치되었으며, 구겸지의 신천사도는 국교로서의 체제를 갖추었다.

최호와 구겸지의 의견에 따라 전국에 도관을 건립한 신가 4년 무렵이 되면 도교로 급속히 기울어졌다. 연호를 '태평진군(太平眞君)'이라 개원(改元)함과 동시에 태무계는 태평진군의 이상을 실현할 도교 군주가 되었으며, 도교는 완전히 북위의 국교가 되었다. 태평진군 3년(442)에 구겸지는 태무제에게 "지금 폐하는 진군(眞君)이 되어 세상을 다스리시고 정륜천궁(靜輪天宮)의 가르침을 펴셨습니다. 개고(開古)이래 아직 없었던 일입니다. 당연

---

45 湯用彤·湯一介「寇謙之的著作與思想-道教史雜論之」『歷史研究』1961年 第5期, 1961年 10) pp. 64~77.
46 『歷代三寶記』卷3(大正藏49,p.41) "州鎮悉立道壇置生各二百人".

히 도단에 올라 부서(符書)를 받고 성덕을 널리 펴야만 합니다."라고 진언했다. 세조는 구겸지의 말에 따라 친히 도단에 올라 부록(符錄)을 받았다.[47] 그가 행차할 때는 천자의 차가(車駕)를 정비하고 기치(旗幟)는 모두 청색을 사용했다. 청색을 사용한 이유는 도교의 색깔에 따른 것이었다.

구겸지에게 사사한 최호의 목적은 북위를 예에 따라 인륜의 질서를 바로잡는 유교 국가로 만드는 것이었다. 호족국가를 한족을 지배자계급으로 하는 국가로 바꾸는 것을 이상으로 삼은 최호는 같은 호족의 가르침인 불교를 싫어했다. 더구나 도교 신앙을 가진 최호는 점차로 불교 배척에 힘을 기울였다.[48]

태연(太延) 4년(438) 3월 계미(癸未)에 사문의 나이가 50세 이하인 자는 파면하였다.[49] 『자치통감(資治通鑑)』권123의 기사에 호삼성(胡三省)의 주에는 사문 가운데 건장한 사람을 파면하여 민간인으로 하고 정역(征役)에 종사시켰다고 하는 것에서 50세 이하의 건장한 승려를 노동력에 이용하기 위해 환속을 명령했음을 알 수 있다.

최호는 태평진군 2년(441)에 상서를 올려 제사의 전례(典禮)에 준해서 제사가 행해지는 57곳의 신묘(神廟) 이외의 묘우(廟宇)를 모두 폐할 것을 정했다.[50] 유교 국가의 건설을 꾀한 최호는 먼저 민간종교의 탄압에 착수했다. 최호는 다시 태무제를 움직여 태평진군 5년(444) 정월에는 두 가지 조칙을 내렸다. 첫 번째 내린 조칙에서

> 무신(戊申) 조칙에 이르기를 우민(愚民)은 무식하기 때문에 요사(妖邪)를 신혹(信惑)하고 은밀히 사무(師巫)를 양성하며, 참기(讖記)·음양(陰陽)·도위(圖緯)·

---

47 『魏書』卷114, 志 第20,「釋老志」"眞君三年 謙之奏曰 今陛下以眞君御世 建靜輪天宮之法 開古以來 未之有也 應登受符書 以彰聖德 世祖從之 於是親至道壇 受符錄 備法駕 旗幟盡靑 以從道家之色也 自後諸帝 每即位皆如之 恭宗見謙之奏造靜輪宮 必令其高不聞雞鳴狗吠之聲 欲上與天神交接".

48 鎌田茂雄, 앞의 책, p. 314.

49 『魏書』卷4「帝紀」第4, 世祖紀 "癸未 罷沙門年五十已下".

50 『南北史補志』卷11,「儀禮志」第2 "太平眞君二年六月 司徒崔浩 秦祀典所宣祀凡五十七 所余皆罷之".

방기(方伎)의 책을 휴대하고, 또한 사문들은 서방 오랑캐의 거짓말을 받아들여 괴상한 짓을 하고 있다. 이것은 국가를 다스리고 국민을 교화하며 천하에 순덕(淳德)을 펴는 근거가 아니다. 왕공 이하 서민에 이르기까지 은밀히 사문·사무·금은공교의 사람을 양성하거나 그 집에 거주하는 자는 모두 관조(官曹)에 고발하고, 은닉해서는 안 된다. 금년 2월 15일까지이며 기일이 지나도 출두하지 않는 자에 대해서는 사무와 사문 자신은 사죄(死罪)에 처하고, 그 주인의 일문(一門)은 모두 죽일 것이다. 분명히 선고하니 모두 잘 들어라.[51]

고 했다. 왕공이하 서민에 이르기까지 사문과 무격(巫覡)을 은밀히 집에 숨겨두는 자를 관에 고발하지 않으면 숨긴 자는 죽음, 일문(一門)은 주살(誅殺)한다.[52] 고 하는 조칙이었다.

이어 두 번째의 조칙을 내렸다.

경술(庚戌) 조칙에 이르기를 "지금까지는 군국다사(軍國多事)했기 때문에 문교(文敎)를 널리 펼 수 없었으므로 풍속을 정비하고 천하에 궤칙(軌則)을 알리지 못했다. 이에 지금 제정하는 것은 왕공이하 경사에 이르기까지 그 자식은 모두 태학(太學)에 입학시킨다. 백공(百工)·기교(伎巧)·추졸(騶卒)의 자식은 그 아버지의 직업을 배우게 하고 은밀히 학교를 세우는 것을 허락하지 않는다. 이것을 위반할 때는 공장(工匠) 자신은 죽음에 처하고 주인공을 위시하여 일문을 모두 주살(誅殺)한다."[53]

---

51 『魏書』卷4,「帝紀」第4, 世祖紀 "戊申 詔曰 愚民無識 信惑妖邪 私養師巫 挾藏讖記 陰陽 圖緯 方伎之書 又沙門之道 仮西戎虛誕 生致妖孼 非所以壹齊政化 布淳德於天下也 自王公已下至於庶人 有私養沙門 師巫及金銀工巧之人在其家者皆遣詣官曹 不得容匿 限今年二月十五日 過期不出 師巫 沙門身死 主人門誅 明相宣告 咸使聞知".

52 『自治通鑑』卷124,「宋紀」6, 文帝元嘉20年~21年. "戊申 魏主詔 王 公以下至庶民 有私養沙門 巫覡於家者 皆遣詣官曹 過二月十五日不出 沙門巫覡死 主人門誅".

53 『魏書』卷4,「帝紀」第4, 世祖紀, "庚戌 詔曰 自頃以來 軍國多事 未宣文敎 非所以整齊風俗 示軌則於天下也 今制自王公已下至於卿士 其子息皆詣太學 其百工伎巧 騶卒子息 當習其父兄所業 不聽私立學校 違者師身死 主人門誅".

제1장. 북위불교(北魏佛敎)의 특징

고 하는 조칙을 내리고 있다. 지배계급에 속하는 왕·공·경·대부의 자식은 태학에서 배우지만 피치자계급에 속하는 공인이나 상인의 자식은 가업을 잇게 하고 학문을 배우지 못하게 한 조칙으로 그들이 은밀히 학교를 세우는 것도 금지했다. 지배계급만이 학문하는 것을 허락한 것이다. 이것은 한인의 이름난 가문에 의한 통치를 이상으로 삼은 최호 등이 생각해 낸 것인 듯하다. 당시 한족의 이상적인 신분질서는 귀족적 특성에 기인하는 신분제 사회였다. 이러한 고정적인 신분질서를 기반으로 하는 조칙은 최호의 기본적인 한족 중심의 사고관념의 표출이라고 할 수 있다.

또한 승려나 무격(巫覡)은 일반 사람들의 저택에 들어갈 수 없었으며 사원이나 묘(廟)에 갇혀있게 했다. 태종의 "사문으로 하여금 민속을 널리 펴고 인도하게 한다."는 조칙을 통해 승려를 풍속과 교양의 지도자로 삼았던 북위의 불교정책은 이 조칙으로 일시에 와해되고 사문에 대한 탄압은 진행되어 갔다. 이러한 과정을 통해 약화된 불교가 446년 폐불조치에 의해서 혹독한 시련을 겪게 되는 것이다. 폐불은 446년에서 452년까지 계속되었는데 당시 승려들은 외국으로 몸을 피하거나 환속하여 민간으로 숨어 들어갔다.

북위의 폐불의 배경은 태무제가 화북통일에 따른 새로운 정치적 이념과 새로운 문화질서를 갈망한 것으로 보인다. 이러한 구도 속에서 폐불이라는 행위를 통해 정치적으로는 유교적 지배질서를 구축하고, 문화적으로는 도교문화를 발전시키려고 시도한 것으로 보인다. 결과적으로는 국가체제가 강력한 황제권 하에 있었던 북조 불교는 국가에 의해 그 존폐가 좌지우지될 수 있는 점을 보여주기도 하는 것이다.

도35 운강석굴 6굴 전실

제1장. 북위불교(北魏佛教)의 특징

도36 운강석굴 6굴 탑주 남면 불좌상

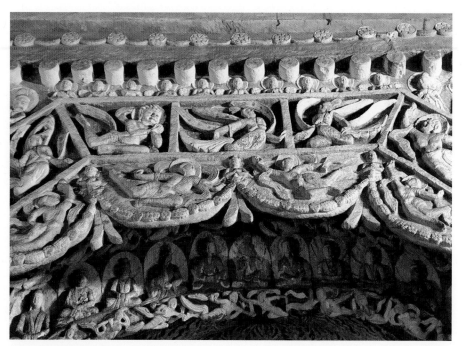

도37 운강석굴 6굴 탑주 남면

도38 운강석굴 6굴 탑주 남면 비천상

제1장. 북위불교(北魏佛敎)의 특징

도39 운강석굴 6굴 탑주 남면

도40 운강석굴 6굴 서벽 미륵교각보살상

제1장. 북위불교(北魏佛敎)의 특징

도41 운강석굴 6굴 남벽

도42 운강석굴 6굴 남벽 문수, 유마상

제1장. 북위불교(北魏佛敎)의 특징

도43 운강석굴 6굴 남벽 불좌상

최호에 의해 주도된 폐불은 단지 폐불의 차원을 넘어 중국문화와 불교와의 충돌이며 당시 기존질서와 불교와의 충돌을 볼 수 있는 점이기도 하다. 또한, 폐불은 불교가 중국 사회에서 정착하는 시점에서 중국전통사상과 불교와의 충돌을 보여주는 것이다. 그러나 앞서 보았듯이 폐불의 과정 속에는 보여지는 양상은 이민족왕조의 중국 사회 정착과 많은 연관이 있는 것이다.

이러한 시도는 호한체제 하에서 북위의 위정자 집단을 이루었던 선비족의 반발을 불러 일으켰다. 중국 북방에 남아서 이민족 지배하에서 숨죽이고 있던 한족 중심의 사고를 가 진 지식인 집단이 최호와 구겸지를 통해 이민족왕조의 지배질서를 중국적 틀로 재구성하 려 하는 일련의 과정에서 폐불이라는 사건을 일으킨 것이라고 할 수 있다. 하지만 이러한 시도는 미완의 혁명으로 끝나고 만다. 오히려 북위의 지배층은 불교와 손잡음으로써 북위 가 중국에 정착하는 사상적 기반을 불교를 통해 구축한 것으로 보인다.

그러나 국가권력에 의해 불교가 일순간에 무너질 수 있음을 인식한 불교계를 국가권력 의 체제 하에서 존속시킬 수밖에 없다는 인식을 불러일으켰다고 볼 수 있다. 그리고 이러 한 북위의 강력한 국가통제의 현상이 불교를 강력한 황제권과 결부시키는 계기를 가져온 것이다. 이러한 북위의 불교는 남조의 국가와는 또 다른 이민족왕조로서의 불교발전의 양 상을 불러일으키는 것으로 보인다.

3. 문성제(文成帝)의 불교부흥과 문화의 융성

(1) 문성제(文成帝)의 복불

446년 폐불 조칙이 시작된 이후 448년 구겸지가 죽고 450년에는 최호가 실각했다. 승 평원년(452년) 태무제가 죽고 고종 문성제가 즉위하였다. 이때 연호를 흥안(興安)이라 고 치고 11월에 불교를 부흥한다는 조칙을 내렸다. 고종이 제위에 올라 조칙을 내리기를 제왕이 된자는 반드시 신령을 받들고 인도를 현창해야 한다. 백성들에게 인혜를 베풀고 생류를 구제하고 이익 되게 하는 자는 그 옛날부터 그 것을 기록했다. 춘추에서는 신명에게 제사를 지내는 것을 좋은 일이라 하고 예기에서는 공덕을 베푸는 자에게 제사지낼 것을 권하고 있다. 하물며 석가여래의 공덕은 대천세계를 구제하고, 그 은혜는 진경에 미치고 있다. 생사를 구하는 자는 부처님이 생사를 달관한 것을 찬탄하고, 문의를 이해하는 자는 그 묘명함을 존경하고 있다. 불교는 왕정의 금률을 돕고, 인지의 선성을 이익 되게 하며, 모든 삿된 것을 배척하고 올바른 깨달음을 얻게 한다. 그러므로 전대부터 숭상하지 않음이 없었으며 또한 우리나라에서도 항상 존경하는바 되었다. 세조 태무제황제는 변경을 개척하여 넓혔고 은덕은 멀리까지 미쳤다. 사문도사는 선행이 순수하고 진실하였으니, 혜시와 같은 사람이 멀리서 들어왔음에도 불구하고 그 풍채에 감동하여 언제나 숲처럼 사람들이 모여들었다. 산속 깊은 곳에 괴물이 살듯이 간사한 무리들이 불교의 이름을 빌려 장안의 강사에 흉당을 이루고 있었던 듯하다. 이에 선조는 불교를 사칭한자들을 살육하였으나 역인이 그 본래의 뜻을 잃고 모든 불교를 금단하였다. 경목황제는 항상 개탄하였으나 군사다망할 때라 수복할 틈이 없었다. 짐은 황위를 계승하여 만방에 군림하므로 선대의 뜻을 조술하여 불도를 부흥시키고 싶다.**54**

이와 같이 복불(復佛)의 대의를 밝혔다. 그리고 상세한 시행 규정으로

---

54 『魏書』卷114, 志 第20,「釋老志」"高宗踐極 下詔曰 夫爲帝王者 必祗奉明靈 顯彰仁道 其能惠著生民 濟益群品者 雖在古昔 猶序其風烈 是以春秋嘉崇明之禮 祭典載功施之族 況釋迦如來功濟大千 惠流塵境 等生死者歎其達觀 覽文義者 貴其妙明 助王政之禁律 益仁智之善性 排斥群邪 開演正覺 故前代已來 莫不崇尙 亦我國家常所尊事也 世祖太武皇帝 開廣邊荒 德澤遐及 沙門道士善行純誠 惠始之倫 無遠不至 風義相感 往往如林 夫山海之深 怪物多有 姦淫之徒 得容假託 講寺之中 致有兇黨 是以先朝因其瑕釁 戮其有罪 有司失旨 一切禁斷 景穆皇帝每爲慨然 値軍國多事 未遑修復 朕承洪緒 君臨萬邦 思述先志 以隆斯道."

지금까지 여러 군현에 조칙을 내려 많은 사람들이 사는 곳은 각각 불도(佛圖) 1구
를 세우는 것을 허락하고, 그 재용은 임의에 맡겨서 회한을 두지 않는다. 저 도
법을 좋아하여 사문이 되고자 하는 자가 있으면 장유를 불문하고 양가출신으
로 성행이 원래 독실하고 아무런 혐오할 점이 없으며 향리를 밝히는 자는 출가
를 허락한다. 대략 대주(大州)는 50명, 소주는 40명으로 하고 군·대(臺)에서 먼
곳은 10명으로 한다. 각 국분에 소속되면 모두 악을 교화하여 선으로 돌리고
불교를 전파함에 힘쓰라. **55**

라고 조칙을 내렸다. 이에 따라 불교는 이전 탄압시대의 굴레를 벗고 새로운 불교운동
을 일으킬 수 있는 있는 토대를 구축했으며, 이러한 토대에 따라 불교의 새로운 모습이 나
타나게 되었다. 이러한 조칙이 얼마나 많은 변화를 끌어내었는지는 다음 구절에 등장한다.

천하에 승풍(僧風)이 아침저녁으로 달라 훼손된 불사를 찾아갈 때마다 이내 고
쳐졌고 불상과 경론이 다시 나타났다. **56**

불교는 이와같은 불교부흥의 기운을 입을 수 있었다. 이러한 복불의 기운을 타고 당시
의 불교가 다시 등장하는 장면을 매우 극적으로 보여 주는 기사가 『고승전』의 「석승주전」
에 있다. 그는 폐불을 피해 제자들과 한산(寒山)으로 피난을 갔다. 영창왕이 불교부흥의
조칙을 듣고 그를 청한 기사가 있는데

---

55 『魏書』卷114, 志 第20,「釋老志」 "今制諸州郡縣 於居之所 各聽建佛圖一區 任其財用 不制會限 其好樂道法 欲為沙門 不問長
幼 出於良家 性行素篤 無諸嫌穢 鄉里所明者 聽其出家 率大州五十 小州四十人 其郡遙遠臺者十人 各當局分 皆足以化惡就
善 播揚道教也".
56 『魏書』卷114, 志 第20,「釋老志」 "天下承風 朝不及夕 往時所毀圖寺 仍還修矣 佛像經論 皆復得顯"

제1장. 북위불교(北魏佛敎)의 특징

영창왕이 장안을 다스리게 되자 황제의 뜻을 받들어 장차 다시 사탑을 수리하고 건립하려 승려들을 찾았다. 당시 말하기를 "한산에 스님이 있는데 덕업이 있고 비범한 스님입니다." 왕이 곧 사신을 파견하여 초청하였으나 승주는 자신이 늙고 병들었다고 하여 이를 거절하고 제자인 승량에게 명에 응해서 산에서 나가도록 하였다. **57**

이와 같은 기사를 보아도 불교도가 얼마나 큰 공포에 떨었는지를 능히 짐작할 수 있다. 이전 시대와는 다른 불교탄압 때문에 불교도들은 나가서 불교를 전파하는 일에 조차 겁을 낸 것으로 보인다. 이때 승량의 기록을 다시 살펴보면,

그의 제자 승량은 속성이 이씨이고 장안사람으로 승주에게 수업하였다. 처음 영창왕이 스님을 구해 초청하였을때 감히 응하는 사람이 없었다. 모두들 불법이 처음 부흥되었으니 혹 예기치 못할 불상사가 있을까 의심하였다. 이에 승량은 말하였다. "상법의 운이 사람에게 기탁하는 것은 바로 오늘에 있다. 만일 주살되어 목이 잘리는 일을 당하면 나 자신이 그 일을 당하겠다. 그러나 만일 온전할 수 있다면 도는 다시 일어날 기약이 있을 것이다." 또한 승주의 권고도 있어 사신을 따라 장안에 이르렀다. 그가 아직 장안에 채 이르지 않았을 무렵 왕과 백성들은 거리를 쓸고 물 뿌리고 집집이 잇대어 기다리며 영접을 준비하였다. 왕이 친히 자신을 굽혀 맞으니 발이 서로 닿을 정도로 몰려나와 공경을 다하였다. 승량은 그들을 위하여 화와 복의 가르침을 베풀고 인과를 훈시하였다. 말은 간단하였으나 이치는 궁극에 도달하였고 온화하면서도 간절하여 듣는 사람이 슬픔과 기쁨으로 스스로를 이기지 못하였다. 이에 옛 절을 수리하고 복구

---

57 한글대장경 『高僧傳』 권11 p. 382.

하여 스님들을 초청하여 맞아들이니 관중에서 대법이 다시 일어난 것은 승량의 힘이었다.[58]

승량의 전기를 미루어 짐작컨대 불법이 다시 일어나게 되는 일이 얼마나 힘들었는지를 알 수 있다. 죽을 결심을 하고 장안으로 나아간 사실로 볼 때 불교 탄압의 여파가 얼마나 컸는지를 살필 수 있다.

영창왕 인은 영창왕 건의 아들로서 개오의 난을 진압할 당시에 공이 상당했다. 이러한 걸출한 무장이 이와 같은 인과응보의 말에 크게 감명을 받을 수 있었던 것은 권력의 정점에서 폐불을 단행한 최호가 감옥에 갇혀 성의 남쪽으로 호송되어 사형에 처해질 때의 비참한 광경을 보고 "적어도 재사가 치욕을 받는 일 가운데 아직 최호와 같은 자는 없었다. 세상일은 모두 응보의 결과대로 된다."고 「최호전」에 있는 것처럼 사람들은 인과응보의 결과를 눈앞에서 목격한 것이라고 스가모도 젠류는 기술하고 있다.[59]

스가모도의 말처럼 불교를 탄압한 최호의 말로를 보고 불교의 인과응보사상에 깊이 기울이게 되었다는 기술은 조금 비약의 논리가 엿보이지만 당시 불교의 탄압이 지속될 것 같았던 최호의 무소불위의 권력이 무참하게 무너지는 것을 보았을 때 불교의 숨은 저력을 사람들은 조금이나마 느낄 수 있으리라고 추론할 수 있다.

하지만 이러한 복불운동은 한족지상주의에 대한 반발의 일면이라고 볼 수도 있다. 최호는 당시 한족들의 기본적인 논리인 신분제 질서를 이민족 왕조에서 시행하려고 했으며, 이에 따라 선비족의 질서를 허물어 내고, 이전부터 시행되어 온 '구품중정법(九品中正法)'을 중심으로 한 한족질서를 북조에 이식하려 했지만 그 시도는 참담한 실패로 막을 내린 것이다. 오히려 이에 대한 반동으로 불교는 더욱 공고한 세력을 구축할 수 있는 있는 기반

---

58 같은 책, p.382
59 塚本善隆, 앞의 책, p.138

을 마련하게 되는데 이것이 문성제의 복불선언이다.

불교는 외래 종교로서 한족지배질서에 대한 열망이 존재한 것도 아니었으니 이러한 북위 지배층의 반발을 효과적으로 흡수 했던 것으로 보인다.

4. 불교교단의 재구축

법과 이래로 구축되어온 불교교단은 문성제의 불교부흥을 계기로 새롭게 정비되어 나갔다. 문성제의 불교부흥의 조칙에서도 볼 수 있듯이 군현의 승려의 숫자를 통제한다는 내용이나 사찰건립의 비용을 국가에서 마련한 점을 보아도 불교교단은 북위왕실의 후원 하에서만 움직일 수 있었다. 또한 폐불이라는 상황을 겪으면서 북조에 있어서 승려들은 불교교단의 존망이 황제 1인의 의사에 의해서 정해질 수 있음을 절실하게 깨달은 것이다.

이러한 일련의 과정으로 인해 불교부흥 이후에도 불교는 조정의 통제 하에 놓일 수밖에 없었다.[60] 먼저 전대의 도인통(道人統) 제도는 이때에 사문통(沙門統)제도로 정비된다. 즉 사문을 관장하는 종교대신이 왕의 지휘하에 놓이게 된 것이다. 최초의 사문통은 계빈(罽賓)출신의 사현(師賢)이었다. 사현은 양주불교의 고승으로 현고나 혜숭이 살해된 이후에 환속하여 임시로 의사생활을 하고 있었다. 그에 관한 기사를 보면,

> 경사 사문 사현은 본래 계빈국 왕족으로 어려서 출가하여 동쪽으로 유학하여 양주에 머물렀다. 양주가 평정됨에 경사로 왔는데 폐불시에 사현은 의술을 하는듯하여 거짓으로 환속했으나 불법을 버리지 않고 지켰다. 복불이 된 날 즉시 사문이 되었는데 그의 도반 5인과 함께 황제가 친히 머리를 깎아주었다. 사현은 이에 도인통이 되었다.[61]

---

60 塚本善隆, 앞의 책, p. 140.

61 『魏書』卷114, 志 第20, 「釋老志」"京師沙門師賢 本罽賓國王種人 少入道 東遊涼城 涼平赴京 罷佛法時 師賢假為醫術還俗 而守道不改 於修復日 即反沙門 其同輩五人 帝乃親為下髮 師賢仍為道人統".

그는 452년에서 460년까지 도인통으로 활동하였다. 그의 행적은 자세하지 않다. 그가 담요(曇曜)에게 자리를 물려 준 것으로 볼 때 양주불교의 최고 연장자로서 평성의 불교흐름을 양주불교 출신에게 연결하는 중요한 역할을 한 것으로 보여 진다.

『위서』「석로지」에는

> 흥안 원년(興安 元年;452)에 불교부흥의 조칙이 내려지자 곧바로 유사(有司)에게 명하여 문성제(文成帝)와 같은 신장(身長)의 석상(石像)을 만들게 하였다. 석상이 완성되자 얼굴 위와 발아래에는 각각 흑석이 있었는데, 그것은 문성제 신체의 아래 위에 있는 검은 점과 모르는 사이에 일치하고 있었다. 논자는 순수함과 지성심이 부처님에게서 감응된 것이라고 말했다.[62]

> 흥광 원년(興光 元年;454년) 가을에 칙명으로 오급대사(五級大寺)[63] 안에 태조(太祖)이하 오제(五帝)를 위해 석가입상(釋迦立像) 5체(體)가 주조되었다. 이 상의 높이는 일장육척으로 적금(赤金)[64] 2만 5천근이 사용되었다.[65]

이 두 가지 사건이 묘사 되어 있다. 이 기록들은 불교가 얼마나 국가불교화 되었는지를 보여주는 사건이라고 할 수 있다. 이 두 기사는 다음 장에서 담요와 함께 중요하게 다루고자 한다. 이러한 불교교단 통제의 핵심은 사현과 담용에 의해 이루어 졌는데 이같은 국가불교화의 경향과 운강석굴과의 유기적 관계를 고찰하는 것은 매우 중요한 일이다.

사현을 뒤이은 담요는 국가불교화의 핵심적 인물로서 양주불교를 북위에 성공적으로

---

62 『魏書』卷114, 志 第20,「釋老志」"是年 詔有司 爲石像 令如帝身 旣成 顔上足下 各有黑石 冥同帝體上下黑子 論以爲純誠所感".
63 오급대사는 오층탑을 가리킨다. 한국에서는 층(層)이라고 하고 일본에서는 중(重)이라고 탑의 높이를 표현한다.
64 금에 구리를 더해서 만든 광물
65 『魏書』卷114, 志 第20,「釋老志」"興光元年秋 勅有司 於五級大寺內 爲太祖以下五帝 鑄釋迦立像 各長一丈六尺"

제1장. 북위불교(北魏佛教)의 특징

안착시켰으며, 그의 불교발전의 과정 속에서 북위불교문화가 찬란하게 개화되어 진다. 또한 복불의 조칙에서도 알 수 있듯이

> 지금까지 여러 군현에 조칙을 내려 많은 사람들이 사는 곳은 각각 불도 1구를 세우는 것을 허락하고, 그 재용은 임의에 맡겨서 제한을 두지 않는다. [66]

먼저 사찰의 건립을 국가가 관장하도록 함으로써 무분별한 사찰의 건립을 통한 통제권을 잃지 않으려 한 것으로 보인다. 사찰건립비용을 제한을 두지 않고 국가에서 재원을 지원함으로써 국가적 통제권 안에서 사찰을 통제하려는 의도가 숨어 있는 것을 볼 수 있다. 또한 중앙의 사찰과 지방의 사찰을 구성함으로서 국가 중앙에서 통제하는 형태의 사찰조직을 구성하고 있는 것을 볼 수 있다. 이것은 당대(唐代) 국분사(國分寺)와 같은 형식을 지닌다고 할 수 있다. [67]

또한 승려의 자격에 있어서도,

> 저 도법(道法)을 좋아하여 사문이 되고자 하는 자가 있으면 나이를 불문하고 양가(良家)출신으로 성행(性行)이 원래 독실하고 아무런 혐오할 점이 없으며 향리(鄕里)를 밝히는 자는 출가를 허락한다. [68]

나이를 구분하지는 않지만 양가출신의 출신성분이 확실한 자를 출가시키려한 점도 출가를 통해 신분탈출의 수단을 삼거나 문제를 일으킬 수 있는 자를 통제하려고 한 것이다.

---

66 『魏書』卷114, 志 第20「釋老志」 "今制諸州郡縣 於居之所 各聽建佛圖一區 任其財用 不制會限 ."
67 鎌田茂雄, 앞의 책, p.326.
68 『魏書』卷114, 志 第20「釋老志」 "其好樂道法 欲為沙門 不問長幼 出於良家 性行素篤 無諸嫌穢 鄕里所明者 聽其出家".

불교교단의 반란은 북위시대에 여러 사건을 일으켰는데 이것은 스가모토의 논문[69]에서 자세히 소개되어 있다. 또한 탕용동(湯用彤)은 이러한 승려출가의 문제를 언급하고 있다.[70]

또한 출가자의 숫자를 제한하려고한 점도 보이고 있다.

> 대략 큰 주는 50명, 작은 주는 40명으로 하고 군(郡), 대(臺)에서 먼 곳은 10명으로 한다. 각 국분에 소속되면 모두 악을 교화하여 선으로 돌리고, 불교를 전파함에 힘쓰라.[71]

이러한 승려숫자의 제한과 각 지역에 승려의 배분은 불교교단의 지나친 확장을 경계하는 의미를 지닌다고 볼 수 있다. 교단의 지나친 확대는 중앙통제가 어려울 뿐만 아니라 노동력의 유출문제도 심각해 질수 있으므로 불교교단에 대한 강한 통제를 행하고자 한 것으로 보인다.

하지만 이러한 북위의 불교교단에 대한 통제는 북위 초반부터 시작된 교단에 대한 통제의 새로운 적용이라고 할 수 있다. 사문통 제도를 통해 불교교단을 통제하고 이러한 교단통제를 바탕으로 각지의 불교를 관장하려고 한 시도는 지속적으로 이어져 왔으며, 문성제는 복불의 조칙을 통해 그에 더해 승려숫자를 통한 교단의 규모 및 승려의 질적 발전을 도모코자 한 것이다. 이러한 시도는 불교의 성장과 함께 여러 가지 점에서 충돌을 일으키는 양상을 보이고 있다.

이 시기를 통틀어서 국가 중앙에서는 승관제를 새로이 확립하여 중앙통제기능을 활성화 시켰으며, 국가주도의 사원 건립과 출가승려의 숫자통제를 통한 중앙집권적인 불교교단의 구축과 유지를 시도한 것으로 여겨진다.

---

69 塚本善隆, 「北魏の 佛教匯」(支那佛教史學 3-2, 1939)에서 자세히 소개되어 있다.

70 湯用彤, 앞의 책, pp.515~522에서 승려출가제한의 문제를 언급하고 있다.

71 『魏書』卷114, 志 第20 「釋老志」 "率大州五十 小州四十人 其郡遙遠臺者十人 各當局分 皆足以化惡就善 播揚道教也"

5. 문명황태후(文明皇太后)의 봉불(奉佛)과 불교문화의 발전

　문명황태후는 북위불교를 발전시킨 담요나 승현과 같은 인물을 옹호한 봉불의 중요한 인물이었다. 북위 평성후기 불교의 성격 및 불교의 발전은 바로 문명황태후와 연관이 되어 있다. 문성제의 뒤를 이은 헌문제(獻文帝)와 효문제(孝文帝)의 배후에는 문명황태후가 연결이 되어 있었으며 문명황태후로 인하여 북위의 불교교단은 급격한 발전을 이룰 수 있었다.

　문명황태후 빙(馮)씨는 오빠 빙희(馮熙)와 더불어 평성시대 후기를 이끌어간 인물이다. 부친인 빙랑(馮朗)은 진주(秦州)와 옹주(雍州)의 자사(刺史)였고 모친은 낙랑(樂浪) 왕씨(王氏) 출신이었다. 부친 빙랑은 사건에 휘말려 살해되고 그녀는 입궁하여 14세에 문성제의 황후가 되었으나 화평(和平) 6년(465년) 문성제가 26세의 젊은 나이로 세상을 떠나자 황태후가 되었다.[72] 문성제의 사후 문명황태후는 평성시대 후기를 이끄는 주요인물로 자리 메김을 하였다. 또한 평성 후기불교계는 담요와 승현이 사문통으로 지배하고 있었지만, 이들 승관과 밀접한 관계에 있는 사람이 문명황태후와 그 주변사람들 이었다.[73] 불교계의 표면적인 지도자들의 배후에는 문명황태후를 기반으로 하는 일련의 북위최고 위층의 후원이 있었다고 할 수 있다.

　문명황태후는 문성제 사후에 황위계승에 관한 일련의 사건에 관계를 하고 있다. 문성제의 뒤를 이은 헌문제(獻文帝)는 12세로 즉위했다. 헌문제의 집정 1년 만에 헌문제의 큰 아들이 태어났다. 그녀는 이 손자를 귀하게 여겨 손자 양육에 전념한다고 정권을 황제에게 반환하였다. 태자 굉(宏)이 5세 때 헌문제에게 압력을 넣어 양위시키고 태황태후(太皇太后)가 되었다. 헌문제는 태상황제로 국사를 관장하였지만 문명황태후의 총신 이혁(李奕)을 살해한 일로 476년 암살 당했다. 태후는 다시 집정하여 490년 그녀가 죽을 때까지

---

72 『魏書』卷13 「列傳」第1 "文成文明皇后馮氏 長樂信都人也 父朗 秦 雍二州刺史 西城郡公 母樂浪王氏 后生於長安 有神光之異 朗坐事誅 后遂入宮 世祖左昭儀 后之姑也 雅有母德 撫養教訓 年十四 高宗踐極 以選為貴人 後立為皇后".

73 鎌田茂雄, 앞의 책, p.340.

국사를 관장하였다.[74]

위서 석로지에 의히면 홍광 원년이후 태화 원년에 이르기 까지 평성 내의 사찰은 100여 곳에 달했고, 승려의 수는 2000명이나 되었으며 사방의 여러 사찰은 6,478곳으로 늘고 승려의 수가 77,258명이나 되었다고 한다. 불과 24년간에 걸쳐 불교의 이러한 급격한 발전은 비정상적일 정도였다. 남조에서 가장 불교가 발달했던 양대(梁代)에도 사찰의 숫자는 불과 2,846곳 승려는 82,700명이며 이것조차도 약 50년에 걸친 발전이었는데 북조의 북위는 시간적으로도 그 절반밖에 되지 않는 기간 동안에 이러한 발전을 이루었다는 것은 놀라운 일이다.[75]

이러한 발전의 표면에는 사문통 담요의 불교부흥운동의 성과와 그 이면에 막강한 후원세력인 문명황태후를 중심으로 한 북위황실의 후원이 지대했음을 알 수 있다. 특히 그녀의 동생인 빙희는 72곳에 불탑과 정사를 건립하고 16부의 일체경전을 사경하였다고 기록되어있다.[76] 하지만 빙희의 봉불의 태도가 그의 불교관을 대변한다고는 볼 수 없다. 그의 불교관에 대해서 이영석은 의문을 제기하기도 하는데[77] 당시불교계의 발전으로 보아도 문명황태후와 그 일족의 봉불에 관한 지대한 관심을 의심할 여지는 없을 듯하다. 쓰가모토는 문명황태후의 봉불을 담요와 연관시키고 있다.[78] 일련의 불사의 전개와 당시 조정의 주도세력인 문명황태후의 관계를 연결시키는 것에는 문제가 없어 보이는데 이영석은 문명황태후 본인의 기사가 적은 점을 문제로 삼고 있기도 하다.[79] 하지만 문명황태후의 봉불의 기사는 헌문제와 효문제의 봉불의 기사를 통해서 확인해야 한다. 헌문제와 효문제는

---

74 이공범, 앞의 책, pp.156~157.

75 鎌田茂雄, 앞의 책, p.340.

76 『魏書』卷83 「列傳」第72, 馮熙 "熙為政不能仁厚 而信佛法 自出家財 在諸州鎮建佛圖精舍 合七十二處 寫一十六部一切經 延致名德沙門 日與講論 精勤不倦 所費亦不".

77 李榮奭, 앞의 논문, pp.107~108.

78 塚本善隆, 앞의 책, pp.152~164.

79 李榮奭, 앞의 논문, p.340.

제1장. 북위불교(北魏佛敎)의 특징

문명황태후로부터 정치적으로 자유로울 수 없었으며, 그 들의 봉불행위는 문명황태후의 봉불과 깊은 연관을 지닌다는 것을 살펴야 한다.

문명황태후 시기의 급격한 불교교단의 발전은 이후 낙양불교의 발전과 운강석굴의 조영과도 깊은 연관을 가지고 있다. 북위 평성시대 후기의 불교는 황실과 권신, 일반 서민에 이르기까지 폭넓은 옹호를 받아 급격한 팽창을 이루는 것을 볼 수 있다. 하지만 승려들의 급격한 증가에 따른 문제점과 과도한 불사의 문제는 북위불교에 있어서 많은 문제를 야기할 수 있는 면이라고 할 수 있다. 그럼에도 불구하고 북위불교는 황실에 의한 승조의 제정에서도 볼 수 있듯이 국가불교화의 과정을 착실히 견지하고 있었으며, 이러한 양상은 북위불교 전반을 이끌어 가고 있다고 할 수 있다.

6. 평성(平城) 불사의 변화

평성시대 후기의 북위불교는 452년에 불교부흥의 조칙이 발표된 이후부터 주로 사문통 담요의 활약으로 급속히 발전되었다. 『위서』「석로지」에 의하면, 흥광(454) 이후 태화 원년(477)에 이르기까지 수도 내의 사찰은 100곳에 달했고 승려의 수는 2천여 명이나 되었으며, 지방의 여러 사찰은 6,478곳으로 늘어나고 승려의 수는 77,258명이나 되었다고 한다.[80] 남조(南朝)에서 불교가 가장 융성했던 양대에도 사찰이 2,846곳, 승려의 수가 82,700여 명이었다고 하는 것과 비교하면, 사찰의 수가 두 배 이상이고 승려의 수는 양대와 비교도 안 된다. 이것은 북위의 평성시대 후기, 더구나 겨우 24년간의 추세였다. 양대 약 50년간의 절반에 지나지 않는 기간에 비정상적인 불교교단의 팽창과 사탑의 증가는 주목할 만하다.

당시 북위의 불교는 급격하게 발전한 것으로 보인다. 황흥(皇興) 원년(467년) 헌문제

---

[80] 『魏書』卷114, 志 第20,「釋老志」"自興光至此 京城內寺新舊且百所 僧尼二千餘人 四方諸寺六千四百七十八 僧尼七萬七千二百五十八人".

는 영녕사(永寧寺)를 건립하였다. 북위 국가불교의 상징으로 낙양천도 시에 낙양에 영녕사를 건립한 사실에서 보듯이 영녕사는 국가사찰로 자리 잡았다. 영녕사에 7층의 불탑을 건립했는데 높이는 300여척이나 되었다.[81]

또 천궁사에는 높이 43척의 석가입상을 조성하였는데 구리가 10만근 황금이 600근이나 사용되었다.[82] 황흥년간에는 9층의 석조탑을 건립하였는데 높이가 10장으로 목탑의 형식을 모방한 석탑이 만들어 졌다.[83]

수경주 권 13에 당시 평성에 불법이 융성하여 불탑이 높이 솟아 서로 바라보고 있으며 동방으로 전해진 법륜이 최고조에 이르렀다고 기술하고 있다.[84]

이 급속한 불교부흥을 직접적으로 지휘한 것은 담요였으나, 그 배후에는 문명황태후의 힘이 있었다고 생각한다. 사문통 담요를 중심으로 불교부흥이 착착 실행되고 있을 때, 문명황태후의 친정과 그것을 돕는 사대부의 봉불행위가 서로 맞물려 북위의 평성시대 후기에는 조정을 중심으로 한 불교의 전성기가 출현하였다. 도성 주변에 운강석굴(雲崗石窟)이 조성된 이유도 이곳에서 찾을 수 있으며, 문명황태후와 고조(高祖)의 능(陵)이 있는 방산(方山)에는 북위 조정의 보리사(菩提寺)의 성격을 가진 사원사(思遠寺)가 건립되어 현란한 불교문화가 개화하였다.

이러한 급격한 불사의 팽창배후에는 불교발전의 양상이 극명하게 드러나고 있으며, 이를 통해 북위가 얼마나 국가불교적인 성격을 가지고 있었는지를 알 수 있다. 평성 후기시대에 일어난 일련의 급격한 불사팽창은 이전시대나 동시대에서도 찾아 볼 수 없었던 대규모 불사였다. 또한 이러한 발전양상의 배후만이 아닌 표면적인 발전의 성격은 북위불교가 국가적인 틀 안에서 몰락과 발전을 함께하는 북위적인 국가불교의 틀을 지니고 있다고 할 수 있다.

---

81 『魏書』卷114, 志 第20「釋老志」"明年 盡有淮北之地 其歲 高祖誕載 於時起永寧寺 構七級佛圖 高三百餘尺 基架博敞 為天下第一."
82 『魏書』卷114, 志 第20「釋老志」"又於天宮寺 造釋迦立像 高四十三尺 用赤金十萬斤 黃金六百斤."
83 『魏書』卷114, 志 第20「釋老志」"皇興中 又構三級石佛圖 榱棟楣楹 上下重結 大小皆石 高十丈 鎮固巧密 為京華壯觀"
84 『水經注』卷13, "然京邑帝里 佛法豊盛 神圖妙塔 架時相望 法輪東傳 玆爲上矣."

제1장. 북위불교(北魏佛教)의 특징

도44 운강석굴 6굴 탑주 서면

도45 운강석굴 6굴 탑주 서면 하층 미륵불의자상

제1장. 북위불교(北魏佛敎)의 특징

도46 운강석굴 6굴 탑주 서면 비천상

도47 운강석굴 6굴 탑주 서면

제1장. 북위불교(北魏佛敎)의 특징

도48 운강석굴 6굴 탑주 서면 태자탄생도

도49 운강석굴 6굴 탑주 서면 태자환궁도

제1장. 북위불교(北魏佛敎)의 특징

도50 운강석굴 6굴 탑주 서면

도51 운강석굴 6굴 탑주 북면 하층

도52 운강석굴 6굴 탑주 북면 이불병좌상

도53 운강석굴 6굴 탑주 북면 아시타선인점상

제1장. 북위불교(北魏佛敎)의 특징

도54 운강석굴 6굴 탑주 북면 아시타선인점상

도55 운강석굴 6굴 탑주 북면 비천상

제1장. 북위불교(北魏佛敎)의 특징

도56 운강석굴 6굴 탑주 북면 기상귀환

Ⅲ. 낙양시대(洛陽時代)의 불교와 문화

1. 한화정책(漢化政策)과 천도(遷都)

북위시대 전기에는 평성을 중심으로 해서 불교가 유행하였지만 후기 북위불교의 중심지는 낙양(洛陽)으로 이동했다. 이것은 북위의 낙양천도에 따른 것이다.

평성이 지리적으로 북방의 한쪽에 치우친 수도였었던 데 비해, 낙양은 중국의 심장부라고 할 수 있다. 이러한 북위의 낙양천도는 단순한 국가수도의 이전 문제가 아니라, 문화·정치·경제 전반을 바꾸는 일대 사건이라고 할 수 있다. 낙양 천도 이후 북위에서 석굴개착은 어떠한 양상으로 전개되며 이러한 개착 뿐 아니라 석굴조성의 내용적 변화는 북위불교의 변화를 살필 수 있는 중요한 수단이 될 것이다. 물론 이러한 연관성은 다양한 학자들의 견해로 이미 언급이 되어 있다.

평성에서 낙양으로의 이전은 북위의 한화정책과 연관이 있다. 또한 미술사적으로도 화화양식(華化樣式)이라고 불리는 새로운 양식이 출현하였다. 양식상의 변천은 평성과 낙양 양쪽에서 동시에 나타나는데 이러한 양식의 변화는 북위천도라는 일련의 흐름과 연관이 있는 것이다.

494년 효문제(孝文帝)의 천도는 북위가 단순한 이민족왕조가 아닌 중국의 정통왕조로 편입되고자 한 시도였다. 북위불교의 변화도 이러한 일련의 조건과 변화의 내용 속에서 새로운 불교흐름을 갖출 수 있었다. 북위의 한화정책은 아이러니컬하게도 북위 태무제 당시 최호도 추진한 정책이다. 물론 그는 북위를 한족에 의해 지배되는 왕조로 바꾸려 했으나, 효문제시기에 이르러서는 선비족 지배층이 국가경영의 필요에 의해 한화정책을 적극적으로 펼치게 된다.

(1) 낙양천도와 북위의 변화

A.D 494년 효문제는 낙양천도를 단행하였다. 이것은 북방계 이민족인 선비족이 중국역사의 주역으로 활동하는 중요한 사건이다. 일련의 행보는 태화 14년(490) 9월에 문명황태후가 세상을 떠나고 효문제의 친정(親政)이 시작되면서 시작되었다.

낙양천도에 대해서는 『자치통감(資治通鑑)』 권138에 상세히 기술되어 있는데 효문제는 평성지역은 기후가 추워서 6월에도 눈이 내리고 항상 모래바람이 불어오는 북쪽 변방지방이므로 서울을 낙양으로 옮기려 한다고 했다. 군신 가운데는 반대하는 자가 많았으므로 남조(南朝)의 제(齊)를 토벌하는 것을 구실로 삼아 군신들에게 천도의 가능성을 물었더니, 임성왕(任城王) 징(澄)은 남쪽 정벌은 불가능하다고 반론했다. 효문제는 안색이 변하여 "사직(社稷)은 나의 사직이다 임성은 모든 것을 방해하려 하는가?"라고 통렬히 꾸짖었다. 이에 임성왕은 "사직은 폐하의 것이지만 저는 사직의 신하이기에 그 위험함을 알고 말하지 않을 수 없습니다."라고 대답했다. 효문제는 각자의 생각하는 바를 말하게 했는데, 군신의 뜻은 남쪽 정벌에 반대하고 있음을 알았다.[1] 그러나 『자치통감』상의 이유만으로는 북위의 천도를 밝힐 수는 없다.

본래 효문제는 남조를 정벌하여 통일제국을 이루고자하는 원대한 포부를 품고 있었던 것

---

[1] 鎌田茂雄, 위의 책, p.348

으로 보인다. 당시 남조의 제를 정벌하고자 했던 인물에 왕숙(王肅)이 있었다. 「왕숙전」에서는

> ... 이로 인하여 제의 위태롭고 멸망할 조짐을 이야기하고 기회를 틈타서 고조
> 에게 제를 정벌할 것을 권하였다. 남방의 제를 정벌하려는 계획은 점차 세밀해
> 지고, 그를 중하게 여겨 예우하는 것이 날로 더해갔다. 황실의 일가친척이나 예
> 로부터의 신하들도 함부로 그 사이에 끼어들 수가 없었다. 어떤 때에는 조우의
> 신하를 물리고 서로 이야기 하는 것이 밤이 늦도록 그칠 줄 몰랐다.[2]

효문제가 밤을 세워가며 계획한 중국의 통일에 걸림돌이 있었다. 최호가 태종에게 진
주한 내용 가운데

> 동주의 사람들이 항상 말하기를 국가는 넓은 사막에 있고 백성과 가축은 셀 수
> 없이 많아서 소의 털과 같이 많습니다. 이제 이전의 도읍지를 지키면서 일부만
> 남쪽으로 옮기면 여러 지역에서 불만이 일어날까 두렵습니다.[3]

라는 부분이 보인다. 이것은 이민족 왕조인 북위의 인구가 그리 많지 않음을 엿볼 수
있는 대목이다. 북위의 건국 초기에 평성으로 인구를 이동했다고 하는 기사에서도 보이듯
북위 왕실은 적은 숫자의 지배층을 중심으로 화북지방을 통치하고 있었다. 장기적인 전쟁
의 현실 하에서는 병력의 보충이 있어야 하는데 이 해결책으로 중국의 심장부에서 한족을
모집해야 할 필요를 느낀 것이다.[4]

---

2 『魏書』卷63, 「列傳」第51, 王肅傳 "因言肅氏危滅之道 可乘之機 勸高祖大擧 於是圖南之規轉銳 器重禮遇日有加焉 親貴舊臣莫
能間也 或屏左右相對談예說 至夜分不罷".

3 『魏書』卷35, 「列傳」第23, 崔浩傳 "東州之人 常謂國家居廣漠之地 民畜無算 號稱牛毛之衆 今留守舊都 分家南徙 恐不滿諸州之地".

4 勞榦지음, 『魏晉南北朝史』 金榮煥 옮김(예문춘추관, 서울, 1995), p.103.

제1장. 북위불교(北魏佛教)의 특징

또한 평성지역이 물자유통의 구조인 내륙수운이 없기에 옮긴 것이라고 천도의 이유를 설명하고 있다.[5]

> 짐이 생각하기에 항주(恒州)와 대군(代郡)에는 조연(漕連)을 할 만한 수로가 없어서 수도에 사는 백성들이 가난하다. 지금 도읍을 낙양으로 옮기고 사방으로 운송을 원활하게 하려 하지만 황하의 물살이 빠르고 깊어서 사람들이 모두 건너가기 어렵다. 그렇기 때문에 짐의 이번 행차는 필히 물의 흐름을 타고 건너서 백성들의 근심하는 마음을 해소해 주려는 것이다.[6]

효문제는 남쪽으로 정벌전쟁을 단행하였는데 낙양에서 그는 신하들의 만류를 뿌리치고 천도 계획을 구체화 하였다. 태화 17년(493)에 황태자를 세운 효문제는 8월에 보병과 기병 100여 만 명을 인솔하여 평성(平城)을 출발해서 남쪽 정벌에 나섰다. 사주(肆州;山西省倂縣 서북쪽)·병주(幷州;山西省 太原市 서남쪽)·상주(像州;河南省 沁陽)를 거쳐 9월에 낙양에 도착하여 진(晉)의 고궁기도(故宮基逃)를 순시했다. 낙교(洛橋)를 돌아보고 태학(太學)에 행차하여 석경(石經)을 보기도 했다. 또한 스스로 오랑캐 옷을 입고 말을 타고 남쪽으로 정벌의 군대를 진격하려 했으나 군신의 반대로 군대를 멈추고, 낙양에 천도하기로 정했다.

10월에는 금용성(金墉城)에 행차하고, 사공(司空) 목량(穆亮)·상서(尙書) 이충(李沖)·대장(大匠) 동작(童爵)에게 명하여 낙양의 경영을 시작하게 했다. 몸소 하남성(河南省)·여주(予州)·석제(石濟)·골태성(滑台城)·교성(郊城)에 행차하였다. 효문제는 남쪽정벌에 임하여 업성의 서쪽에 궁전을 건립했다. 다음해 18년(494) 2월에 일단 평성으로 돌아와

---

5 같은 책, p.103.

6 『魏書』卷79『列傳』第67, 成淹傳 "朕以恒代無運漕之路 故京邑民貧 今移都伊洛 欲通運四方 而黃河急浚 人皆難涉 我因有此行 必須乘流, 所以開百姓之心".

전국에 조칙을 내려 천도의 뜻을 공표하고, 정식으로 낙양으로 천도했다.[7] 낙양천도가 본래 목적인 남조의 정벌과정의 부산물인지, 낙양으로 천도 목적으로 군대를 일으킨 것인지는 분명하지 않다.

당시 북위 내에서 막강한 세력을 구축하고 있던 임성왕(任城王) 징(澄)이 가장 중요한 반대인물이었다. 마침내 임성왕을 설득하며 말하기를

> 단지 국가는 북토에서 일어나 평성으로 옮겼다. 비록 부(富)는 사해만큼 있지만 문궤(文軌)는 통일되지 않았다. 이곳은 용무(用武)의 땅으로서 문치(文治)의 땅이 아니다. 풍속을 변화시키는 것은 참으로 어려운 일이다. 嶠와 函은 帝宅이고 하(河)와 낙(洛)은 왕리(王里)이다. 그러므로 크게 일어나 중원에서 천하를 밝게 다스리고자 하는데 임성의 뜻은 어떤가?[8]

이러한 내용을 살펴보면 효문제는 수도인 평성이 천하를 통일할 장소가 아니므로 중원지방으로 이주해야 할 필요가 있다고 여긴 것으로 보인다. 그에 따라 임성왕에게 정책적 자문과 천도의 정통성을 확보할 수 있었다. 이러한 효문제의 낙양천도는 당시 호족 지배층들로서는 그리 반기는 일은 아니었던 것으로 보인다. 하지만 남제 정벌을 막기 위해 낙양으로의 천도를 수용하였다.

효문제는 낙양천도와 함께 여러 가지 개혁을 강행했다. 첫째로는 대인(代人)을 하남으로 이주시켰다. 낙양으로 천도한 이후에 망산(邙山)에 장사지낼 것을 명하고 북쪽으로 돌아가는 것을 허락하지 않았다. 둘째로는 선비의 복장과 언어의 사용을 금했다.[9]

---

7 鎌田茂雄, 위의 책, p. 348.

8 『魏書』卷19, 「列傳」第7, 任城王雲 "但國家興自北土 徙居平城 雖富有四海 文軌未一 此間用武之地 非可文治 移風易俗 信為甚難 嶠函帝宅 河洛王里 因茲大舉 光宅中原 任城意以為何如".

9 『魏書』卷7, 「帝紀」第7, 高祖孝文帝宏 "丙辰 詔遷洛之民 死葬河南 不得還北 於是代人南遷者 悉為河南洛陽人 戊午 詔改長尺大斗 依周禮制度 班之天下".

노간(勞榦)은『위진남북조사(魏晉南北朝史)』에서 효문제의 정책을 아래와 같이 여섯가지로 분류하였다.

1. 성을 바꾸었다(拓跋氏를 元氏로).

2. 의복과 관모를 고쳤다.

3. 관료제도를 확정하였다.

4. 형법을 가다듬고 고쳤다.

5. 언어를 통일하였다(鮮卑語를 漢語로).

6. 씨족을 새로이 정하였다.[10]

이 개혁은 호족(胡族)풍속을 고쳐 한족(漢族)의 습관에 따르게 하는 철저한 한화정책이었다. 효문제 스스로도 한족의 제왕으로서 교양을 갖추려고 노력했다. 한족의 명사들은 효문제 곁에서 이 정책을 적극적으로 지지하고 실행했다. 효문제는 용무(用武)의 땅을 버리고 문치(文治)의 땅을 낙양에서 구했다. 문치를 일으켜 한화를 추진하는 동안 무를 등한시하여 약화시켰다.

북위 개국 당시는 한의 풍속을 모방하는 것을 엄격히 경계하고 무력의 충실에만 힘을 기울였다. 그러나 낙양천도로 문치정책을 추진하게 됨으로써 북위 고유의 기풍을 잃었다. 이것은 후에 북위를 붕괴시키는 원인이 되기도 하였다. 이러한 문치주의적 정책은 물론 장단점이 있다. 문치주의적 한화정책은 한족화를 촉발하였으며, 이를 통해 선비족은 한족사회로 안정적인 편입을 할 수 있었다. 하지만 이러한 시도는 한편으로 북위사회를 약화시킨 것으로 보인다.

문치주의적 한족화 정책은 물론 북위 왕실에서 호한체제(胡漢體制)를 새롭게 개편하려

10　勞榦지음, 앞의 책, p.104.

는 시도로 볼 수 있다. 이러한 호한체제를 완전한 중국화를 통해서 새롭게 구축하고 중국역사 속으로 편입시키려는 시도일 것이다. 이러한 시도가 북위 후기의 성격을 극명하게 보여주고 있다고 볼 수 있다.

도57 운강석굴 6굴 탑주 북면

　　　　　　　　제1장. 북위불교(北魏佛教)의 특징

도58 운강석굴 6굴 동면 하층 미륵보살교각상

도59 운강석굴 6굴 탑주 동면

제1장. 북위불교(北魏佛敎)의 특징

도60 운강석굴 6굴 동면 미륵상 얼굴

도61 운강석굴 6굴 동면 하층 보살입상

제1장. 북위불교(北魏佛敎)의 특징

(2) 낙양천도 이후 불교

낙양천도 이후 효문제는 불교정책을 펼치는데 있어서 불교를 효과적으로 통제하는데 많은 관심을 기울인 것으로 보인다. 그리고 이런 정책적 과정을 거쳐 평성시대 후기부터 급격한 발전을 거듭해온 불교는 북조사회에 뿌리 내릴 수 있는 기반을 확보할 수 있었다.

천도 시기의 사찰건립규모는 북위시대 낙양으로 이전된 불교의 현실을 반영한다고 볼 수 있다. 『위서』「석로지」에 신구(神龜) 원년(518)에 사공공상서령(司空公尚書令), 임성왕 징이 올린 상소문을 보면 최초의 불사(佛寺)의 모습을 알 수 있다. 효문제가 낙양으로 천도했을 때 도성의 제도를 정했다. 그 가운데 사찰에 대해서는 성안에는 오직 영녕사 1곳, 외성(外城)에는 비구니 사찰 1곳만을 두게 했으며, 그 밖의 사찰은 모두 외성 밖에 두기로 정했다. 효문제는 이 제도를 잘 지켜 위반하지 않도록 명했다.[11]

이것은 임성왕 징의 상표문에 있는데 임성왕 징이 사원의 건립을 억제하기 위해 이와 같은 도성의 제도가 있었다는 것을 증거로 인용한 것인지도 모른다. 사실은 이것과 반대로 불교 도시 평성(平城)을 능가할 만한 규모의 사찰건립을 의도하고 있었다고 생각된다. 다만 천도 직후에는 사찰의 건립보다 황성(皇城)이나 관청의 정비가 시급했으므로 사찰의 건립은 나중에 하도록 도성의 건축계획이 정해져 있었을 듯하다. 그것이 후대에는 성안(城內)에 1개의 사찰, 성밖(外城)에 1개의 사찰만을 인정한다고 하게 되었는지도 모른다.[12] 가마다 시게오는 성내 1사, 성외 1사의 조칙을 위와 같이 이해하고 있지만 이러한 그의 견해에는 동의 할 수가 없다. 단순히 성내·성외의 불사를 제한하려는 조칙을 내린 것이 아니라 국가적인 정책 하에서 불사의 수를 통제하려는 시도로 파악할 수 있다. 수도에서의 승단의 급격한 팽창은 국가통제에 어려움을 불러일으킬 수 있으므로 북위가 낙양 천도

---

11 『魏書』卷114, 志 第20,「釋老志」"神龜元年冬 司空公 尚書令 任城王澄奏曰 仰惟高祖 定鼎嵩廛 卜世悠遠 慮括終始 制洽天人 造物開符 垂之萬葉 故都城制云 城內唯擬一永寧寺地 郭內唯擬尼寺一所 餘悉城郭之外 欲令永遵此制 無敢蹱矩 逮景明之初 微有犯禁 故世宗仰修先志 爰發明旨 城內不造立浮圖 僧尼寺舍 亦欲絶其希覬 文武二帝 豈不愛尚佛法 蓋以道俗殊歸 理無相亂故也".

12 鎌田茂雄, 앞의 책, p.350.

이후 본격적으로 국가 통제 하에 불교를 공고히 두려고 했을 수도 있다는 것이기도 하다.

쓰가모토는 효문제가 불교를 보호했지만 불사(佛寺), 승니(僧尼)의 속진(俗塵)의 경지가 혼잡해서 성립되는 것은 불가하고 도(道)와 속(俗)을 구별하는 것이 불교의 본지에 합당하는 것, 또 이미 평성에서 사문 법수(法秀)의 모반사건이 일어나 조정을 진동시켰던 경험을 다시는 겪지 않겠다는 효문제의 의지가 천도 후에 표출된다고 보고 있다.[13]

그러나 낙양천도 이후 급격한 불교의 팽창을 가져온 점을 우리는 살필 수 있다. 사탑의 건립을 통해 낙양지역에 사찰 건립 뿐 아니라 북위 평성의 불교가 이동해 올 수 있는 기반을 마련하였다. 또한 효문제는 북위 평성 불교의 수평적 이동뿐만 아니라 천도 이후 새로운 승려들의 영입에도 많은 힘을 기울였다. 「석로지」에 따르면 효문제는 사문 도순(道順)·혜각(惠覺)·승의(僧意)·혜기(惠紀)·승범(僧範)·도변(道辯)·혜도(惠度)·지탄(智誕)·승현(僧顯)·증의(僧義)·승리(僧利) 등 여러 승려들을 후대했다.[14]

『광홍명집』권24에 수록되어 있는 효문제의 「은제법사일월삼입전조(隱諸法師一月三入殿詔)」를 보면, 앞선 시대까지는 천하의 경영을 위해 내범(內範)을 생각할 여유가 없었으며, 조정에는 고상하고 심원한 위용(威容)을 잃고 궁중에는 예속(禮俗)을 일으키는 위의(威儀)를 간략히 하여, 선을 공경하는 도리나 복전(福田)을 이루는 일을 존경하는 것이 불충분했다. 이에 덕 높은 법사를 만나 도(道)에 대해 듣고 조정을 빛내지 않으면 안 된다고 생각하여 한 달에 세 번 사문이 궁전에 들어오는 것을 허락했다. 또한 인수(人數)나 법위(法諱)에 대해서는 따로 관(官)의 문서로 알린다고 했다.[15] 효문제가 교양과 문화의 진흥에 불교의 의학승(義學僧)을 이용하려고 생각한 결과 사문이 궁중에 세 번 들어올 수 있게 된 것이다. 이러한 적극적인 불교우호 정책은 앞 시대 보다 한층 더 발전된 불교의 모습을 보여주고 있

---

13 塚本善隆, 앞의 책, p.390.

14 鎌田茂雄, 앞의 책, p. 352

15 『廣弘明集』卷二十四(大正藏52, 272下) "先朝之世 經營六合 未遑內範 遂令皇庭闕高邈之容 紫闥簡超俗之儀 於欽善之理福田之資 良爲未足 將欲令懿德法師時來相見 進可餐稟道味退可節光朝廷 其敕殿中聽一月三入 人數法諱別當牒付".

다고 할 수 있다.

효문제는 사문의 안거(安居)를 적극적으로 추진하려 했다. 『광홍명집』 권24에서 보이듯이 「제령제주중승안거강설조(帝令諸州衆僧安居講說詔)」에 칙명으로 여러 주(州)에서 대중을 하안거하도록 명했으며, 대주(大州)는 300명·중주(中州)는 200명·소주(小州)는 100명씩의 안거를 행하게 했다. 그 수는 안거하는 장소에 따라 증멸이 있고, 안거의 공양에는 승기속(僧祇粟)을 제공할 것을 명했다. 안거하는 사람의 수나 승기속이 적을 경우에는 소현조(昭玄曹)에서 그 증감을 관리하게 했다.16 이것에서 효문제가 사문의 수행을 위해 안거(安居)와 강경(講經)을 적극적으로 지시했음을 알 수 있다. 당시에는 종교반란도 많고 또한 파계승도 있었으므로 승려의 통제와 자질향상을 위해 이러한 칙령을 내린 듯하다.

효문제는 또한 「증서주승통병설재조(贈徐州僧統幷設齋詔0」에서 조칙을 통해 서주(徐州)의 도인통 승령(僧逞)에게 내렸다. 이것에 의하면 비단 300필을 하사하여 추복(追福)에 이용할 것을 명하고 5천 명의 제회(齋會)를 열 것을 지시하고 있다.17 북위의 여러 황제 가운데 의학승(義學僧)을 존경하고 강경(講經)의 법회나 안거를 행하게 한 사람은 효문제가 최초다. 특히 평성에서 낙양으로 천도한 효문제는 불교의 승려도 교양과 문화의 향상에 일익을 담당하는 사람으로서 중시했으므로 이러한 강경법회나 안거가 열린 것이다.

효문제는 평성에 있을 때 문명황태후가 세상을 떠난 후부터 승제(僧制) 47조를 제정하거나 득도(得度)시키는 등 불교정책을 적극적으로 실행했는데, 낙양천도 이후에는 불교를 새롭게 정비한 것으로 보인다. 그리고 이러한 효문제의 노력은 천도에 따라 새로운 불교의 중심지가 된 낙양을 중심으로 불교를 안정화 시키고 안정화된 민심을 구축하려는 시도로 볼 수 있다. 새로이 도읍을 정한 곳을 중심으로 새로운 불교인사를 영입하는 시도도 이러한 시도의 일환으로 볼 수 있다.

---

16 『廣弘明集』卷二十四(大正藏52, 272下) "可敕諸州令此夏安居淸衆 大州三百人 中州二百人 小州一百人 任其數處講說 皆僧祇粟供備 若粟匙徒寡不充此數者 可令昭玄量減還聞".

17 『廣弘明集』卷二十四(大正藏52, 273上) "可下徐州施帛三百匹以供追福 又可爲設齋五千人".

또 불교교단을 통제하고 감독하는 관청인 감복조(監福曹;建福曹)를 세웠으나 효문제는 감복조라는 이름을 소현조(昭玄曹)라 고치고, 교단의 통제를 담당하게 했다.[18] 소현조는 영녕사(永寧寺)의 남쪽에 있었다. 영녕사의 동쪽에는 태위부(太尉府)가 있었고 북쪽으로는 어사대(御史台)와 인접해 있었다. 이러한 정책은 지금까지 북위가 시도했었던 통제와 우대의 양면적 정책을 천도 이후에도 실시한 것으로 볼 수 있다.

효문제가 남제정벌의 이유를 들어 시도했던 천도는 중국의 통일로 가는 정책이 아니라 한족을 포섭하기 위한 방법으로 북위는 천도와 더불어 한화정책을 병행하였다. 한화정책을 병행할 수 있었던 것은 북위왕조가 선비족으로서의 의식만이 아니라 중국에 들어오면서부터 쌓아올린 그들의 동화 과정 속에서 중국화의 기틀을 마련할 내적인 성숙이 있었다는 말이기도 하다. 즉, 단순한 천도 이상으로 여러 면에서 북위역사의 흐름을 바꾸는 새로운 시도라고 할 수 있는 것이다.

2. 낙양시대의 불교문화

앞서 살펴보았듯이 낙양의 불교발전은 앞 시대와는 다른 새로운 기풍을 만들어 낼 수 있었다. 물론 평성시기의 불교발전의 양상도 놀랍지만 낙양시대에 이르러 북위는 획기적인 발전의 단계를 거치며 불교발전을 이룬 것을 살필 수 있다. 이는 내적으로 불교자체의 발전과 외적으로 국가사회적 지지 속에서 불교발전을 이룬 것이라고 할 수 있다. 이러한 불교발전의 양상은 여러 가지 불교문화의 발전에 획기적인 영향을 끼치고 있으며, 이러한 발전과 더불어 북위의 사회적 변화와 맞물리는 불교문화의 발전을 가져오고 있는 것으로 파악할 수 있다.

(1) 효문제(孝文帝)시대의 불교

앞서 말한 대로 효문제는 천도 이후 불교를 앞 시대의 입장을 받아들이면서도 새로운

---

18 『魏書』卷114, 志 第20,「釋老志」,"先是 立監福曹 又改為昭玄 備有官屬 以斷僧務".

관점에서 다시 수용하였다.

효문제는 태화 19년(495) 4월에 서주(徐州)의 백탑사(白塔寺)에 행차하였다.[19]이 사찰에 행차한 목적은 유명한 승숭법사(僧嵩法師)가 머물고 있었기 때문이다. 승숭은 구마라집에게서『성실론(成實論)』을 받은 스님으로 서주에서 불교를 널리 전도하고 있었다. 효문제는 경사(經史)를 두루 읽었으며 노장(老莊)을 잘 알았던 제왕으로 불교에도 정통했는데, 특히 평소에『성실론』을 음미하였다. 그 때문에『성실론』의 대가인 승숭을 찾아갔던 것이다.

승숭의 제자인 승연(僧淵)은 서주 백탑사에서 승숭에게『성실론』과『비담(毘曇)』을 배웠다. 승연의 제자인 혜기(慧紀)는 수론(數論)에 능했고 도등은『열반경』『법화경』에 능했는데 효문제에게 존경받아 이름을 떨쳤다 한다. 혜기가 효문제의 깊은 귀의를 받은 것은 효문제의 「망위혜기법사시백설재조(亡爲慧紀法師施帛設齋詔)」에서 알 수 있다. 이 조칙은 혜기가 세상을 떠났을 때 효문제가 그의 죽음을 애도하여 비단 300필을 내리고 500명의 제(齋)를 열 것을 명령한 조칙이다.[20] 이것에 의해서도 혜기가 효문제에게 어떤 존경을 받고 있었는지 잘 알 수 있다.

도등(道登)도 효문제의 신임을 받았다. 건무(建武) 2년(495)에 남쪽 정벌을 떠난 효문제가 수춘(壽春)을 공격했을 때, 도등을 성 안으로 들여보내 여러 승려에게 비단 500필을 나누어 주게 하였다. 수춘지방은『성실론』연구의 중심지이기도 했다. 또한 태화 16년(492) 11월에 효문제는 도등과 함께 시중성(侍中省)에 행차했다. 시간이 육경(六更)에 이르자 귀신이 문으로 들어오려는 것이 보였다. 효문제는 그것이 사람이라 생각하고 야단쳐서 내몰았다. 주위의 가신들에게 물어보니 아무도 귀신을 보지 못했다고 했다. 귀신을 본 사람은 효문제와 도등 뿐이었다.[21]『위서』「영징지(靈徵志)」에 기록된 설화는 효문제와 도등의 친밀한 관

---

19 『魏書』卷114, 志 第20,「釋老志」"十九年四月 帝幸徐州白塔寺 顧謂諸王及侍官曰 此寺近有名僧嵩法師 受成實論於羅什 在此流通".

20 한글대장경, 『廣弘明集』 2,(서울, 역경원, 1999)

21 『魏書』卷112, 志第17,「靈徵志」"太和十六年十一月乙亥 高祖與沙門道登幸侍中省 日入六鼓 見一鬼衣黃褶 當戶欲入 帝以爲人 叱之而退 問諸左右 咸言不見 唯帝與道登見之".

계를 서술하고 있으며, 신이(神異)와 영능력(靈能力)에서 두 사람은 서로 통하고 있었음을 말해 준다. 「석로지」에 의하면 도등은 의학(義學)에 떠어났고 효문제의 신임을 받아 측근에서 『성실론』을 강의했다고 하며, 「영징지」에 기술되어 있는 것과 같이 귀신을 보았다 한다.[22]

태화 20년(496)에 도등이 세상을 떠나자 효문제는 애도의 뜻을 표하고, 비단 1,000필을 내리고 재를 열어 7일간 법사를 행하게 했다 한다. 또한 조칙을 내려 흰색 옷을 입고 상(喪)을 치르게 했다. 그중에 '짐의 스승, 등법사(등법사)'라 부른 점에서도 효문제가 도등을 얼마나 존경했는지 알 수 있다. 『속고승전』권6의 「위항주보덕사석도등전(魏恒州報德寺釋道登傳)」에 의하면, 도등이 '낙양에 이르니 임금과 신하, 비구와 비구니 모두 귀한 손님으로 예우하지 않는 자가 없었다.'[23]고 할 정도로 존경을 받았다.

또한 서역 사문 불타선사(佛陀禪師)도 효문제의 존경을 받았는데, 조칙으로 소실산(少室山;嵩山)의 산록에 소림사(少林寺)를 세워 머물렀으며, 의식 등을 공급받았다. 『속고승전』권16의 「위숭악소림사천축승불타전(魏嵩岳少林寺天竺僧佛陀傳)」에 의하면 불타선사가 여기저기 돌아다니다 북위의 수도 평성에 이르렀는데, 효문제가 선굴(禪窟)을 조성하자 그곳에서 선정(禪定)을 닦았다. 또한 불법을 존숭하고 백만의 재산을 가진 강씨(康氏)가 불타선사를 위해 별원(別院)을 지어 주었으므로 그 곳에서 선정을 닦았다. 효문제가 남쪽으로 천도하자 낙양으로 내려갔으며 결국 소실산 소림사로 들어갔다.[24]

태화 21년 5월에 조칙을 내려 구마라집(鳩摩羅什)의 도행을 칭찬하고 라집이 상주하던 사찰의 유적지에 3층탑을 세울 것을 명했다. 또한 라집이 처첩(妻妾)을 강요당했으므로 자손이 있을 것이니 그 자손을 찾아내어 관위(官位)를 주고 우대할 것을 명했다.[25]

이외에 승범(僧範)은 『속고승전』권8에, 도변(道辯)은 『속고승전』권6 등에 전기가 보인

---

22 鎌田茂雄, 앞의 책, pp.351~352.
23 한글대장경, 『續高僧傳』1, p.229.
24 한글대장경, 『續高僧傳』2, pp.214~215.
25 『魏書』卷114, 志 第20, 「釋老志」 "二十一年五月 詔曰 羅什法師可謂神出五才 志入四行者也 今常住寺 猶有遺地 欽悅修蹤 情深遐邈 可於舊堂所 為建三級浮圖 又見逼昏虐 為道殄軀 既暫同俗禮 應有子胤 可推訪以聞 當加敘接".

다. 사문들은 대부분 낙양으로 천도하기 이전, 즉 평성시대부터 효문제의 존중을 받았으며, 또한 황제에게 신하로서의 예를 다하고 있었다. 도변은 성이 전(田)씨이고 독양(讀陽; 河北省 定興縣 圖城鎭) 사람이다…. 납의(衲衣)를 입고 석장(錫丈)을 짚고 어머니 뱃속에 들어가 태어났다."고 별기에 있는것 같이, 사문으로서의 천성을 지니고 태어났으며 재능도 세상에 자자했다. 귀가 들리지 않았어도 효문제의 뜻에 어긋나는 일이 없었다. 도변은 처음에는 평성에 있었지만 후에는 효문제를 따라 남쪽으로 옮겼으며, 그의 도행은 낙양에 널리 퍼졌다. 당시 『대법존왕경(大法尊王經)』 80여 권이라는 의경(疑經)이 크게 유행하였다. 도변은 이 경을 읽고 위경(僞經)이라는 것을 알고 모아 불태웠다 한다. 북위에는 『제위파리경(提謂波利經)』을 위시하여 많은 의경이 서민을 중심으로 유행하고 있었으며, 중국인이 새롭게 만든 경전으로 신앙을 얻으려 하는 풍조가 있었는데, 『대법존왕경』도 그 하나였다. 도변이 이 경을 불태웠다고 하는 것은 이 경에는 북위의 지배체제나 불교교단에 불리한 것까지도 서술하고 있었음을 증명하는 하나의 증거가 아닐까. 도변은 『유마(維摩)』 ·『승만(勝鬘)』·『금강반야(金剛般若)』 등 여러 경전에 주석을 붙이고, 또한 『소승의장(小乘義章)』 6권·『대승의(大乘義)』 5章·『신현조(申玄照)』를 저술했다. 후에 수(隋)의 정영사(淨影寺) 혜원(慧遠)의 대표작인 『대승의장』과 같은 저술의 맹아가 북위의 효문제 시대 낙양 불교에서 보이는 것은 사상사 면에서 주목할 만한 일이다.[26]

---

26 鎌田茂雄, 앞의 책, p.352~353

도62 운강석굴 6굴 동벽

제1장. 북위불교(北魏佛敎)의 특징

도63 운강석굴 6굴 동벽 천불상

도64 운강석굴 6굴 동벽 천불상

도65 운강석굴 6굴 동벽

도66 운강석굴 6굴 동벽 초전법륜상

제1장. 북위불교(北魏佛敎)의 특징

(2) 효문제 이후의 불교

고조 효문제는 태화 23년(499) 4월에 33세의 나이로 세상을 떠났으며, 그의 둘째 아들 세종(世宗) 선무제(宣武帝)가 즉위했다. 「석로지」에 의하면 선무제도 불교교리를 좋아했으며 매년 궁중에서 친히 경론을 강의하고 널리 이름난 승려를 불러들여 의지(義旨)를 밝히게 했다. 사문은 이것을 조목별로 기록하여『내기거(內起居)』라 했다.[27]『내기거』는 기거주(起居注)를 모방한 탓인 듯하다. 기거주란 천자의 좌우에서 천자의 언행이나 기거를 기록한 것과 그 기록을 관장하는 사관(史官)을 말한다. 이것을 모방하여 내전(內典)인 불교에 관해 기록한 것이기 때문에『내기거』라 칭한 듯하다.[28] 이것을 보아도 북위 후기에 들어서서 얼마나 불교가 성행하는 지를 살필 수 있다. 황제의 일을 기록하는 기거와 같은 이름을 사용하는 내기거의 존재는 북위 불교의 위상을 알 수 있는 중요한 자료라고 할 수 있다.

영평(永平) 2년(509) 10월 을축(乙丑)에 선무제는 식건전(式乾殿)에서 여러 승려와 조정의 신하를 위해『유마경』을 강의했다.[29] 선무제는 평소에 경사를 좋아했으며, 특히 불교의 교의에 밝아 경론을 손에 쥐면 며칠 밤을 새고도 피곤한 줄 몰랐다. 선무제가 열의를 가지고 불교경론을 강의했음을 알 수 있다. 선무제 시대에 불교는 북위의 궁전 안에까지 깊숙이 침투하였다. 선무제는 즉위 초 불교에 심취하여 정사를 신하에게 맡기고 친정하지 않았다. 외척인 상서령(尙書令) 고조(高肇)가 권력을 쥐고 혼자서 조정의 일을 결재하였다. 선무제가 즉위 초에 불교에 너무 심취했으므로 당시 유학자까지도 불전을 읽었다.

상서(尙書) 이려(李慮)와 함께 유학에 정통했던 태조령(太廟令) 혜울(惠蔚)은 연창(延昌) 2년(513)에 시강(侍講)의 노고를 포상받아 식읍(食邑) 200호를 받았다. 혜울까지도 정시 년간(504~507)에 궁정에서 선무제의 시강으로 있었을 때 밤에는 불경을 논하여 선무

---

27 『魏書』卷114, 志 第20「釋老志」"世宗篤好佛理 每年常於禁中 親講經論 廣集名僧 標明義旨 沙門條錄 為內起居焉 上既崇之 下彌企尙".

28 鎌田茂雄, 앞의 책, p.355.

29 『魏書』卷8,「帝紀」第8, 世祖紀 "己丑 帝於式乾殿為諸僧 朝臣講維摩詰經".

제를 만족시키려 하였다. 혜위의 이름은 원래 '울(蔚)'자 뿐이었는데 선무제가 '혜(惠)'자를 더하여 그 후부터 헤울법사라 했다.[30] 이것은 선무제의 불경강경과 아울러 유자까지도 불경을 좋아한 하나의 예일 것이다. 효문제의 경우는 노장을 좋아하고 유학을 중히 여겼으며 다른 한편으로 불교를 좋아했지만, 선무제는 유학보다 불교를 더 좋아하여 조정 안까지 깊숙이 침투하였다. 이러한 선무제의 행동을 보면 이전 시대 북위의 황실에서 도도·불병용정책이 불교정책으로 완전히 변모하고 있음을 살필 수 있다.

선무제가 불교를 존숭했기 때문에 서민들도 불교를 존숭할 것을 희망하였다. 연창년간(延昌年間;512~515)에 전국의 주군에 있는 사찰은 모두 13,727곳이나 되었으며, 승려의 수는 점점 더 많아졌다.[31] 또한 희평(熙平) 원년(516)에는 칙령을 내려 사문 혜생(惠生)을 서역에 파견하여 여러 가지 경율(經律)을 수집해 오게 했다. 혜생은 정광(正光) 3년(522)에 낙양으로 돌아왔다. 혜생이 구해 온 경론 170부는 세상에 유행하였다.[32]

선무제의 불교 중시의 표현은 먼저 용문석굴(龍門石窟)의 조영으로 구체화되었다. 이 부분은 뒤에 자세히 언급하기로 한다. 북위는 태무제 이후 무위를 서방에 떨쳐 서역과의 교통이 빈번하였으며, 선무제 때에는 천축에서 종종 조공이 행해졌다. 이와 함께 역경승의 래조가 급속히 증가했다. 선무제 경명 2년(501)에는 담마유지(曇摩流支)가 들어와 낙양의 백마사(白馬寺)에서 선무제를 위해 『여래입제불경계경(如來入諸佛境界經)』2권을 번역하여 출간했다.[33] 정시(正始) 원년(504)에는 『신력입인법문경(信力入印法門經)』5권, 정시 4년(508)에는 『금색왕경(金色王經)』1권을 각각 역출했다.

또한 영평(永平) 원년(508)에는 늑라마제(勒那摩提)와 보리유지(菩提流支)가 낙양에

30 『魏書』卷84,「列傳」第17, 儒林 孫惠蔚 "延昌二年 追賞侍講之勞 封棗強縣開國男 食邑二百戶 肅宗初 出為平東將軍 濟州刺史 還京 除光祿大夫 魏初已來 儒生寒宦 惠蔚最為顯達 先單名蔚 正始中 侍講禁內 夜論佛經 有愜帝旨 詔使加惠 號惠蔚法師焉 神龜元年卒于官 時年六十七 賜帛五百匹 贈大將軍 瀛州刺史 諡曰戴".

31 『魏書』卷114, 志 第20,「釋老志」"至延昌中 天下州郡僧尼寺 積有一萬三千七百二十七所 徒侶逾".

32 『魏書』卷114, 志 第20,「釋老志」"熙平元年, 詔遣沙門惠生使西域, 採諸經律. 正光三年冬, 還京師. 所得經論一百七十部, 行於世".

33 『歷代三寶紀』卷 3,(大正藏50,428上) "曇摩流支, 於洛陽白馬寺爲宣武譯如來入諸佛境界經二卷".

들어와 많은 경론을 번역했다. 『십지경론(十地經論)』의 전역(傳譯)으로 지론종(地論宗)이 성립한 것에서도 알 수 있듯이 이들의 번역은 남북조 말 중국의 불교사상 형성에 큰 영향을 미쳤다. 선무제는 보리유지가 들어오자 칙령을 내려 노고를 치하하고 성대히 공양하여 영녕사(永寧寺)에 머물게 했다. 보리유지는 칙명으로 역장(譯經)의 원구(元區)가 되었다.[34]

연창(延昌) 4년(515) 정월에 효명제(孝明帝) 숙종이 6세의 나이로 즉위하였다. 선무황후(宣武皇后) 고씨는 황태후가 되었지만 비구니가 되어 요광니사(瑤光尼寺)로 들어가 변사(變死)했다. 숙종이 등극하자 영태후는 황태후가 되어 친정하였다. 군신이 상서(上書)할 때 폐하(陛下)라 했으며, 스스로는 짐(朕)이라 칭하며 대권을 장악했다. 영태후의 부친 호국진은 숙종이 등극하자 광록대부(光祿大夫)가 되었는데 영태후가 조정에 나아가자 호국진은 시중(侍中)이 되어 안정군공(安定郡公)에 봉해졌으며, 부인인 황보씨(皇甫氏)는 경조군군(京兆郡君)이 되었다.

호국진은 노령이 되자 불법을 숭상하여 종종 결재(潔齋)하고 예배하는 일에 전념했다. 신구(神龜) 원년(518년) 4월 7일의 불탄절에는 행상(行像)의 뒤를 따라 자택에서 창합문에 이르는 45리를 걸었다. 다음날 8일에는 노령에도 불구하고 하루 종일 선채로 불상을 관불했는데 밤이 되자 겨우 앉았다. 이로 인해 피로가 겹쳐 병으로 쓰러졌다. 영태후가 친히 약을 준비했지만 12일에 세상을 떠났다. 나이 80세였다. 조칙에 의해 7주일 동안 각각 천승재(千僧齋)를 열고 7명을 출가시켰으며, 100일에는 만인재(萬人齋)를 열어 21명을 출가시켰다.[35] 봉불자인 부친 호국진과 측근의 환관 유등(劉騰) 등의 영향으로 영태후의 봉불행위는 한층 더 고조되었으며, 영녕사의 건립이 최고의 작품이었다. 또한 희평(熙平) 2년(517) 4월에는 용문석굴사에 행차하였다. 평성의 불교문화를 낙양으로 옮기고자 평성에 세

---

34 『續高僧傳』卷1, (한글대장경, 속고승전 1, pp.17~18).

35 『魏書』卷83, 「列傳」第71, 胡國珍 "國珍年雖篤老 而雅敬佛法 時事齋潔 自強禮拜 至於出入侍從 猶能跨馬攘鞍 神龜元年四月七日 步從所建佛像 發第至閶闔門四五里 八日 又立觀像 晚乃肯坐 勞熱增甚 因遂寢疾 靈太后親侍藥膳 十二日薨 年八十 給東園溫明祕器 五時朝服各一具 衣一襲 贈布五千匹 錢一百萬 蠟千斤 大鴻臚持節監護喪事 太后還宮 成服於九龍殿 遂居九龍寢室 肅宗服小功服 舉哀於太極東堂 又詔自始薨至七七 皆為設千僧".

도67 영녕사지

운 영녕사와 같은 명칭의 사원을 낙양에 건립한 점은 영태후의 최고의 업적이라고 할 수 있다. 하지만 이러한 건립은 영태후 혼자만의 업적이 아닌 북위황실의 의도된 사업이라고 할 수 있다.

평성시기 헌문제(獻文帝)는 평성에 국립사원의 성격을 가진 영녕사를 세워 7층탑을 건립했다. 효문제는 이 영녕사에 종종 행차하여 법회와 재회를 열었다. 방산(方山)에는 사원사(思遠寺)를 세우고 문명황태후(文明皇太后_를 위해 보덕사(報德寺)를 건립했으며, 운강석굴(雲崗石窟)에도 행차하였다. 이 사찰들은 국가 안녕의 정신적 지주이기도 하고 문명황태후를 공양하기 위한 것이기도 했으며, 북위황실의 종찰 성격을 가진 것이었다.

낙양 천도와 함께 낙양에도 이들 사원의 건립이 필요하여 낙양 영녕사의 건립이 최초로 기획되었던 것이다. 그 의도는 희평 원년(516)에 영태후가 실현하였으며, 그 이전에 효문제는 문명황태후의 추선(追善)을 위해 보덕사를 건립했다.[36] 그것은 평성의 보덕사를 그대로 낙양에 옮기기 위해서였으며, 평성의 불교문화를 옮김으로써 북인(北人)들의 정신적인 의지처를 안정시키기 위해서였다.

또한 평성의 불교를 고스란히 낙양에 이식하려는 북위왕실의 의도에서 운강석굴의 규모와 위용을 더욱 확대한 화려한 용문석굴(龍門石窟)의 조영을 추진하였다. 용문석굴의 조영이 정식으로 시작된 것은 선무제(宣武帝) 즉위 해인 경명(景明) 원년(500)이었는데, 이미 효문제가 낙양으로 천도한 494년경부터 조영은 행하고 있었다. 이것은 현존하는 기년조상기(紀年造像記) 가운데 가장 오래 된 것이 태화(太和) 19년(495)의 것이라는 점에서 명백하다.[37]

한화정책의 한축은 불교미술에 있어서 새로운 양식인 '화화양식(華化樣式)'을 낳았다. 북위의 천도 후 낙양지역은 불교의 중심지로 자리잡게 되었고 이전부터 내려오던 중국적 미술의 흐름과 북위의 양식이 절묘하게 결합되어 화화양식이라는 새로운 흐름이 일어나게 된 것이다. 당시 낙양불교의 모습은 『낙양가람기(洛陽伽藍記)』에서 북위 당시 불교의 영화를 볼 수 있다. 또한 본고를 통하여 살피고자 하는 용문석굴의 개착도 이러한 흐름 속에서 전시대 운강석굴에서 보여진 것과는 다른 새로운 모습으로 나타났다.

(3) 불교교단의 통제

북위의 영역 내에서 종종 불교의 반란이 일어났다. 천흥 5년(402) 사문 장교(張翹)를 필두로 효문제 시기에 들어서 혜은(慧隱)은 연흥(延興)3년(473)에 반란을 일으켰고, 법수(法秀)는 태화(太和)5년(481)에 반란을 일으켰으며, 사마혜어(司馬惠御)는 태화14년(490)에 반란을 일으켰다.[38]

---

36 양현지, 앞의 책, p. 122.
37 塚本善隆,「龍門石窟に現れたる北魏佛敎」.
38 塚本善隆, 앞의 책, pp.247~263.

또한 선무제 때는 보리유지가 낙양으로 들어 온 다음해인 영평 2년(509)정월에는 사문 유혜(劉惠)의 반란이 일어났고, 이어 다음 해에는 사문 유광수(劉光秀)의 난, 연창 3년(514) 11월에는 사문 유승소(劉僧紹)의 난, 그 다음해에는 사문 법경(法慶)의 대승적(大乘賊)의 난이 계속해 일어났다. 이것은 평성 시기에서부터 종종 일어났다.[39]

쓰가모토는 이러한 불교도의 반란에 대해서 불교가 극도로 전성기를 누린 북위 때에 종교성과 중국사회 일반의 비적(匪賊)이 결합된 불교도의 반란이 발생했다고 파악하고 있다.[40] 이것은 북위가 불교를 이용하여 국가적 정체성을 확립하려는 시도에 따라 강력한 중앙통제하에 지방으로 불교를 급격히 확산시킨 결과 불교가 서민사회로 확산된 부작용으로 볼 수 있다. 서민사회로 팽창된 불교는 불교 사상의 미륵사상과 같은 특정한 종교 흐름과 맞물려 우민을 선동하는 사상이 발생한 것으로 보고 있다.[41]

종교반란의 빈발함은 불교교단에 대한 국가통제를 다시금 강력히 추진하지 않으면 안 되게 하였다. 선무제는 영평 원년(508)에 조칙을 내려 승려와 속인은 다르기 때문에 법률도 다르지 않으면 안 된다고 하여 이후로는 승려들 가운데 살인 이상의 죄를 지은 자가 있으면 속법(俗法)에 의해 처단하고, 그 외의 범죄는 모두 소현조(昭玄曹)에 부탁해서 내율(內律)에 의해 처단하고 통제하라고 명했다.[42]

이에 따라 509년 겨울에 사문통 혜심(惠深)이 상표하였다. 그 상표문은 상당한 장문으로『위서』「석로지」에 수록되어 있다. 그것을 정리하면 다음과 같다.

첫째, 승니(僧尼)의 수가 늘어나 청탁(淸濁)이 혼효(混淆;뒤얽힌)한 상황이기 때문에 계율을 지키지 않는 자도 있으며, 순수한 자와 순수하지 못한 자를 구별할 수 없으므로 경율에 정통한 법사와 논의해서 제도를 정했다. 이에 모든 주진군의 유나·상좌·사주(三綱의

---

39 鎌田茂雄, 위의 책, p.358.

40 塚本善隆, 위의 책, p.246.

41 같은 책, p.286.

42 『魏書』卷114, 志 第20,「釋老志」"世宗即位 永平元年秋 詔曰 緇素既殊 法律亦異 故道教彰於互顯 禁勸各有所宜 自今已後 衆僧犯殺人已上罪者 仍依俗斷 餘犯悉付昭玄 以內僧制治之".

제1장. 북위불교(北魏佛敎)의 특징

職)의 승재에게 불교의 계율을 수득(修得)시켜 모두 불교의 율에 따르게 하고, 만일 율을 이해하지 못하는 자가 있으면 삼강(三綱)의 직에서 원래의 지위로 환원시키라는 명령이다.[43]

둘째, 출가자는 법을 범하여 8가지 부정물(不淨物)을 저축해서는 안 된다. 그러나 원율(緩律)이 제정하는 바는 시간과 장소에 따라 허용하는 경우와 허용하지 않는 경우가 있다. 율에 의하면 차우(車牛)와 정직(淨人;사원의 僕役)은 부정물이기 때문에 몰래 축적해서는 안 된다. 다만 노병자(老病者)로 60세 이상의 사람에게는 수레 1대에 한해 허가한다.[44]

셋째, 승니 가운데 삼보물(三寶物)의 이름으로 사재(私財)를 빌리는 자가 있는데 이후로는 이와 같은 짓을 해서는 안 된다.[45]

이 조항의 마지막 일문(一文)인 '녹주외(綠州外)'의 의미는 불분명하다. 주밖의 승려로 연좌시켜 이 조령에 위반한 자가 나올 경우 그 사찰의 승려도 마찬가지로 연좌해서 주외로 추방하는 것을 의미하는 것으로 해석된다.

넷째, 출가자는 애착을 버린 자이기 때문에 원래 상복의 의례는 없다. 출가의 도를 버리고 세속에 따라서는 안 된다. 부모삼사(父母三師)의 불행을 멀리서 들었다면 3일의 곡을 허락한다. 만일 현재의 장소에서 불행한 일이 생기면 7일의 곡을 허락한다.[46]

다섯째, 사원에 안주하지 않고 민간에 유지하는 자가 있다. 도를 문란하게 하고 잘못을 저지르는 것은 이들의 짓이다. 만일 범하는 자가 있으면 승복을 벗기고 환속시킨다.[47]

여섯째, 사원을 건립하는 자는 50명 이상의 승려가 있을 경우에 한하며, 조정에 신청했을 경우에만 허락한다. 만일 허가 없이 건립하는 자가 있으면 위반죄로 처단한다. 그 사원

---

43 『魏書』卷114, 志 第20,「釋老志」"僧尼浩曠 清濁混流 不遵禁典 精粗莫別 輒與經律法師群議立制 諸州 鎮 郡維那 上坐 寺主各令戒律自修 咸依內禁 若不解律者 退其本次".

44 『魏書』卷114, 志 第20,「釋老志」"又 出家之人 不應犯法 積八不淨物 然經律所制 通塞有方 依律 車牛淨人 不得為己私畜 唯有老病年六十以上者 限聽一乘".

45 『魏書』卷114, 志 第20,「釋老志」"又, 比來僧尼, 或因三寶, 出貸私財, 緣州外".

46 『魏書』卷114, 志 第20,「釋老志」"又 出家捨著 本無凶儀 不應廢道從俗 其父母三師 遠聞凶問 聽哭三日 若在見前 限以七日".

47 『魏書』卷114, 志 第20,「釋老志」"或有不安寺舍 遊止民間 亂道生過 皆由此等 若有犯者 脫服還民".

의 승려는 外州로 추방한다.[48]

일곱째, 승니의 법에 의하면 속인을 위해 사역해서는 안 된다. 만일 위반하는 자가 있으면 환속시켜 본적으로 되돌린다.[49]

여덟째, 외국의 승려 가운데 귀화한 자가 있으면 자세히 조사하여 덕행이 삼장(三藏)에 합치하면 체재를 허가하고, 덕행이 없으면 본국으로 귀환시킨다. 만일 돌아가지 않으면 중국의 승제에 의해 단죄한다.[50]

가마다 시게오가 정리한[51] 이상의 8개 조항이 승니를 통제하는 칙령인데, 이것은 효문제가 연흥 2년(472)에 내린 조칙보다 한층 더 엄한 것이다. 효문제 시대에는 승려숫자와 사찰건립의 통제가 큰 목적이었으나, 이 칙령은 불교의 내율(內律)에 의해 처벌할 것을 강하게 요구한 것이었다. 허가 없이 사탑을 건립하는 것을 금지한 것은 이전과 마찬가지지만 사원이나 승니의 사재 대출과 이익을 얻는 것을 엄중히 금지한 것은 승지호(僧祇戶)의 운용과 맞물려 국가의 경제정책에 까지 승려가 깊이 관여하는 것을 금지한 것이다.

또한 승려가 일정한 사원에 머물 것을 요구하고, 민간에 떠돌거나 민간 속에 들어가 머무는 것을 금했으며, 위반자에게는 환속을 명했다는 것은 유민(遊民)과 어울려 불교비적(佛敎匪) 속에 가담하는 승려가 없도록 통제하기 위해서였다. 외국승에 관한 조령을 정한 것은 선무제시대에 급속히 인도나 서역에서 온 외국승에 대한 법적 조치였다. 낙양천도이후 북위왕실은 봉불행위를 하면서 다른 한편으로는 속법과 내율을 범하는 승려의 처단을 엄하게 명함으로서 국가통제하에 불교를 두려는 시도를 계속적으로 유지했다.

이러한 교단 통제의 수단도 낙양불교 문화의 고조와 함께 불교비의 반란도 많았다. 515년에 사문 법경(法慶)의 대승적(大乘賊)의 반란이 일어났고, 517년에는 광동자(光童

---

48 『魏書』卷114, 志 第20, 「釋老志」 "其有造寺者 限僧五十以上 啟聞聽造 若有輒營置者 處以違敕之罪 其寺僧擯出外州".
49 『魏書』卷114, 志 第20, 「釋老志」 "僧尼之法 不得為俗人所使 若有犯者 還配本屬".
50 『魏書』卷114, 志 第20, 「釋老志」 "其外國僧尼來歸化者 求精檢有德行合三藏者聽住 若無德行 遣還本國 若其不去 依此僧制治罪".
51 鎌田茂雄, 위의 책, pp.359~360.

子) 유경휘(劉景暉)의 난이 일어났다. 불교비의 반란으로 지방의 승려나 도승(度僧) 등을 제한하고, 계행이 올바르고 정치반란을 일으키지 않는 승려를 등용할 필요가 있었다.[52] 영태후는 희평 2년(517) 봄에 칙령을 내려 도승의 제한과 노비의 출가금지, 사도승의 금지 등을 전했다. 그 내용은『위서』「석로지」에 있다.

첫째는 도승(度僧)의 숫자를 제한할 것을 정했다. 도승의 제한은 대주에서는 300명·중주에서는 200명·소주에서는 100명으로 제한했다. 태화 16년(492)의 법령에서는 대주 100명·중주 50명·소주 20명이었으므로 이것보다 대주는 3배·중주는 4배·소주는 5배로 증가하고 있어, 26년 동안에 승려가 비정상적으로 증가했음을 알 수 있다. 이 도승임용(度僧任用)의 권한은 주의 사문통과 유나가 관과 함께 행하였으며, 수행이 청정한 자를 선발하여 이에 충당하였다. 부적격자를 임용하면 자사(刺史) 이하 지방장관의 역인(役人)이 처벌받았다. 사문통과 유나도 500리 밖의 주로 추방되고 승관에서 물러났다.

둘째는 노비의 출가를 허가하지 않는 것이다. 왕실의 종친이나 귀족도 마음대로 노비의 출가를 청원해서는 안된다. 이것을 위반하는 자는 위법의 내용에 따라 처단한다. 승려가 타인의 노비를 출가시키면 500리 밖으로 추방한다. 승려의 친족이나 타인의 노비의 자식을 출가시키는 것을 금한다. 위반자는 환속시키고 노비의 자식은 본래의 계급으로 되돌린다.

셋째는 사도승(寺度僧)의 금지다. 사주(寺主)가 한 사람의 사도승을 허락하면 500리 밖으로, 두 사람의 사도승을 허락하면 1,000리 밖으로 추방한다. 사도승의 통제 책임을 삼장(三長)에게도 엄중히 명하여 한 사람의 사도승이 있으면 위법한 내용에 따라 처단하고 인근의 장을 주모자로 간주하며, 리나 당의 장은 죄 일등을 내려 처단한다. 사도승이 현에서 15명, 군에서 30명, 주진에서 30명이 되면 그 장은 관직에서 물러나고 소속의 관리는 계급에 따라 연좌시킨다. 사도승은 주에 배당하여 노역을 시킨다고 하는 것이 금령의 내

---

52 같은 책, p. 363.

용이다.[53]

하지만 이와 같이 도승의 제한이니 노비의 출가금지, 사도승의 금지를 내용으로 한 법령을 하달했지만 법령은 지켜지지 않았으며, 불교교단의 숙정과 개혁은 실시되지 않았다. 불교교단의 과도한 팽창과 조불조탑(造寺造塔)을 위해 막대한 자금이 투입되는 현상을 우려한 임성왕 징은 신구 원년(518) 겨울에 교단숙정을 상진했다. 임성왕은 효문제의 신뢰가 두터웠고 낙양으로 천도할 때 효문제를 보좌한 중신이었다. 임성왕 징은 신구2년(519)에 세상을 떠났는데, 이 상진문은 임종 직전에 국가의 정치를 우려하는 마음에서 쓴 것으로 보인다.

이 상진문에서는 처음에 고조 효문제가 낙양에 천도할 때 도성의 제도를 정했는데 이것을 인용하고 있다. 그 제도에는 사찰의 건립에 대해 성내에는 영녕사 1곳, 외성에는 니사(尼寺) 1곳, 그 밖의 사찰은 성외에 건립할 것을 정했다. 경명시대(景明時代;500~503)에는 이 법령을 위반하는 자가 있었으므로 선무제는 고조의 뜻을 이어 성내에는 조탑조사의 금령을 지시했다. 재가자는 명성을 위해, 승려는 이윤을 위해서 금령을 위반하여 사탑을 건립하는 자가 끊이지 않는다고 단정했다.

> 정시(正始) 3년(506)에는 사문통 혜심이 경명의 금령을 위반했다. 혜심은 이미
> 건립한 사찰을 옮기거나 파괴하는 것은 참을 수 없는 일이므로 그대로 두고 이
> 후로는 사찰 건립을 금하겠다고 말했다. 혜심의 요청이 허락되어 업명(業明)의
> 금령은 시행되지 않았으며, 그 후로는 비밀리에 사탑을 건립하는 자가 늘어났

---

53 이것은 鎌田茂雄, 앞의 책, p.363~364에서 정리한 내용이다. 본문은 『魏書』卷114, 志 第20,「釋老志」"二年春 靈太后令日 年常度僧 依제大州應百人者 州郡於前十日解送三百人 其中州二百人 小州一百人 州統 維那與官及精練簡取充數 若無精行 不得濫採 若取非人 刺史為首 以違旨論 太守 縣令 綱僚節級連坐 統及維那移五百里外異州為僧 自今奴婢悉不聽出家 諸王及親貴 亦不得輒啟請 有犯者 以違旨論 其僧尼輒度他人奴婢者 亦移五百里外為僧 僧尼多養親識及他人奴婢子 年大私度為弟子 自今斷之 有犯還俗 被養者歸本等 寺主聽容一人 出寺五百里 二人千里 私度之僧 皆由三長罪不及已 容多隱濫 自今有一人私度 皆以違旨論 隣長為首 里 黨各相降一等 縣滿十五人 郡滿三十人 州鎮滿三十人 免官 僚吏節級連坐 私度之身 配當州下役 時法禁寬褫 不能改肅也".

제1장. 북위불교(北魏佛教)의 특징

다. 영평 2년(509)에 혜심 등은 또한 조제(條制)를 만들어 상소(上訴)했다. 그
조제에는 이후로 사찰을 조성하는 자는 50명 이상의 승려가 거주하는 사찰에
대해서는 상문(上聞)하여 건립허가를 받는다. 만일 마음대로 조성하는 자가 있
으면 속인(俗人)은 위반죄에 의해 처단하고, 승려는 외주(外州)로 추방한다고
정했다. 이와 같이 사문통에 의한 조제가 정해졌으나 그 후 10년 동안 사찰의
사영(私營)은 점점 성하였으며, 위반죄로 처단되거나 추방당하는 일은 없었다.
조정의 법식이 분명했음에도 불구하고 불교의 복(福)을 믿어 법식(法式)을
파괴하고 승제는 공문(空文)이 되었으며, 이익을 꾀하여 승제를 따르는 자
가 없었다. 승속 모두 법령을 위반하여 끝까지 법령을 깨뜨린다면 한이 없지
않겠는가.**54**

임성왕 징의 상진문은 다시 장문으로 이어지는데 그 요점을 간단히 기록하면 '불교의
가르침은 깊고 오묘한 것이어서 승려는 세속 밖에 정거(淨居)하는 것이 제일이며, 화려한
사탑을 조영할 필요가 없다. 요즘은 사영(私造)의 사찰이 100개에 달하려 한다. 개인적인
복을 위해 마음대로 제한을 어기고 사탑을 건립하고 있다. 나는 사공으로서 성규를 준수
할 사명이 있으며, 종래의 사탑에 대한 규칙을 연구하고 부하에게 명하여 도성과 외성의
사찰을 검사한 결과 그 수는 500개나 되었다. 환도 이후 2기(紀;24년)가 지난 사이에 사찰
이 민간의 주거를 빼앗았다. 고종의 입제나 세종의 조술은 불교비의 반란을 막기 위한 것
이었다.'라고 하며 이어서 임성왕 징은 불사의 상황과 승려의 타락을 다음과 같이 말하였다.

---

54 『魏書』卷114, 志 第20 「釋老志」 "至正始三年 沙門統惠深有違景明之禁 便云 營就之寺 不忍移毀 求自今已後 更不聽立 先旨
含寬 抑典從請 前班之詔 仍卷不行 後來私謁 彌以奔競 永平二年 深等復立條制 啟云 自今已後 欲造寺者 限僧五十已上 聞
徹聽造 若有輒營置者 依俗違敕之罪 其寺僧衆 擯出外州 爾來十年 私營轉盛 罪擯之事 寂爾無聞 豈非朝格雖明 恃福共毀
僧制徒立 顧利莫從者也 不俗不道 務為損法 人而無厭 其可極乎".

지금 승사(僧寺)가 곳곳에 있지 않음이 없다. 혹은 성읍(城邑) 중에 줄지어 있고, 혹은 도고(屠沽)의 가게에 나란히 늘어서 있으며, 혹은 서넛의 적은 승려들이 함께 한 사찰을 차지하고 있다. 범패(梵唄)와 도음(屠音)이 처마를 잇대고 소리를 접해 있으며, 상탑(像塔)은 도고(屠沽)에 얽혀 있고 성령(性靈)은 기욕(嗜慾)에 빠져 있으며, 진위가 혼거하여 왕래가 복잡하다.55

이것에 의하면 당시 낙양의 불교사원과 승려의 상태를 엿볼 수 있다. '사찰이 고깃집과 술집이 늘어선 시장에 줄지어 있었고, 범패 소리와 도살하는 소리가 처마를 잇대어 접해 있었으며, 불상과 탑이 비린내에 젖어 있었다.'는 표현대로 재가·출가의 삶이 구별이 안되는 상황이었다. 승려가 세속의 욕망 속에 빠져 있었다면, 불교의 계율(戒律)은 거의 지켜지지 않은 상태였음을 알 수 있다.56

이 같은 교단상황을 하급의 관리는 물론 소현조도 단속하지 않고 방치하였다. 그 때문에 진정한 수행을 닦고 있는 승려를 더러움 속에 있게 하는 것을 허락할 수 없었다 한다. 이러한 북위의 불교형태는 그 양적 팽창에서 기인한다고 볼 수 있다. 북위불교는 폐불이후 양적 팽창만을 추구해 왔으며 이러한 경향이 북위의 천도 이후 더욱더 급격하게 나타나 더 이상 불교교단의 통제권을 발휘할 수 없는 지경에 이른 것이다.

효문제가 낙양에 1사·1니사 이하를 정한 태화의 제정은 평성에 수도가 있었을 때 일어난 법수의 반란과 같은 반란을 막기 위해 제정한 것이었으며, 선무제가 정한 경명의 금제는 대승적의 반란을 예상하여 제정한 것이다. 본래 불교에서 승려는 산림에서 수행해야 하는데, 이익을 위해 성읍에 애착하는 것은 석씨(釋氏)의 찌꺼기이고 불법 중의 사서(社鼠;神殿에 서식하는 쥐)이며, 불교의 계율에도 국가의 법률에도 위반되는 것이라 규탄하고 있다.

---

55 『魏書』卷114, 志 第20,「釋老志」"今之僧寺 無處不有 或比滿城邑之中 或連溢屠沽之肆 或三五少僧 共為一寺 梵唱屠音 連簷接響 像塔於腥臊 性靈沒於嗜慾 真偽混居 往來紛雜".
56 鎌田茂雄, 위의 책, pp.364~365.

낙양의 승려뿐만 아니라 주진의 승사도 마찬가지로 백성을 침탈하고 집과 논밭을 널리 점유하여 백성을 괴롭히고 있었다. 그리하여 청정하게 수행을 닦는 청승과 법률을 위반하고 계율을 지키지 않는 악승을 명확히 구별할 필요가 있었다. 임성왕 징은 법을 지키기 위해 감히 의견을 올렸던 것이다. 조칙이 내려와 법이 시행되고 있지만 지켜지지 않는 것은 적용이 엄격하지 못했기 때문이다. 경명의 금제에서는 이미 건립한 사찰은 허용한다고 하는 관용적인 단속을 했기 때문에 법을 무시하기에 이르렀으므로, 위반자에게는 엄벌을 가하고 과거의 과실이나 앞으로의 위법에 대해서도 엄하게 단속하지 않으면 법령은 이 법과 같이 실시되지 않을 것이라 지적하고 있다. 임성왕 징의 의견은 태화의 제정에 의거하여 도성 안에는 불사를 짓지 말고 외성 밖에 건립하는 것이었다. 성안에 사찰을 건립할 토지를 구입한 경우에는 다시 팔게 하고, 관지에서 훔친 것은 관으로 되돌려 놓게 했다. 또한 묘상(廟像)의 영역을 보존하기 위해 부근에서 도살하는 것을 금지했으며, 승려가 50인이 넘지 않는 사찰은 큰 사찰에 합병하여 정수를 채우게 했다. 외주에서 사찰을 건립할 때 승려가 50인 이상인 경우 중앙에 신고하고 소현조에서 심의·상진하여 허락을 받은 후 비로소 건립할 수 있게 했다.

이 임성왕 징의 상표문은 통과되었다. 그러나 영태후가 다시 조정에 나가 섭정한 이후 천하는 혼란해졌고, 이주영(爾朱榮)이 낙양을 공격하여 낙양은 전란의 거리로 변했으며 많은 귀족이 전사했다. 귀족의 저택은 승려들이 머무르는 곳이 되었고 낙양의 저택은 거의 사찰이 되어 버렸다. 임성왕 징의 상표문은 휴지가 되었으며, 이전에 내려진 금지령도 전혀 행해지지 않고 유명무실하였다. 임성왕 징이 이상과 같은 장문의 상표문을 영태후에게 올린 것에는 그 나름의 이유가 있었다. 영태후는 사탑의 수리와 건축에 힘써 낙양에 영녕사와 태상공사(太上公寺) 등의 불사를 건립했는데 공사비용이 막대했으며, 외주에는 각각 5층의 불탑을 세웠다. 또한 종종 재를 열고 많은 보시를 하였다. 때문에 백성은 토목공사로 지쳤고 금은의 값은 뛰어올랐으며, 백성의 노동력을 탈취하고 고장(庫藏)을 모두 소비해 버렸으며, 좌우의 신하에게 물품을 하사하기 하루에도 수천에 달했다. 이 같은 불사의 건립에 노동력과 금은을 아낌없이 낭비하는 영태후의 처사를 간언하기 위해 상표문을 제출했던 것이다. 이러한 교단의 정화 노력도 북위불교의 변화의 흐름을 막을 수 없었으며, 불교의 통제도 느슨해져 마침내 북위왕실에 의한 불교통제는 불가능하게 된다.[57]

(4) 낙양시대 불교문화의 특징

낙양가람기의 기록을 보면 당시 낙양은 절정의 불교문화를 구가하고 있었던 것으로 보인다.

> 황위가 천명을 받아 낙양에 도읍을 정하자 독실한 불교신자가 많아져서 불법의 교화가 더욱 성행하였다. 왕후나 귀족들은 신발을 벗듯이 코끼리와 말을 바쳤고, 서사나 귀족들은 자신의 발자국을 남기듯 재물을 희사하였다. 그리하여 사원이 즐비하였고, 탑들이 나란히 늘어서게 되었는데 너도나도 부처가 천상에서 설법하는 모습과 산중에서 고행하는 모습을 모사하였다. 금찰(金刹)이 영대(靈臺)만큼 높았고, 불경을 강의하는 법당은 아방궁처럼 장엄하였다. 어찌 화려하게 수놓은 비단옷을 나무에게 입히고, 붉은색 자주색으로 흙을 채색하는데 그쳤을 뿐이겠는가.[58]

낙양가람기의 묘사대로 낙양은 엄청난 불교문화를 자랑한다. 흙까지 채색했다는 묘사에서 살필 수 있듯이 당시 낙양 불교의 위세는 절정기에 다다랐다는 것을 알 수 있다.

세종 선무제의 연창년간(延昌年間;512~515)에 전국 주군의 사찰 수는 모두 13,727곳이었는데, 이것은 효문제 태화 원년(477) 6,478곳이었던 것에 비하면 2배 이상의 수다. 약 40년 동안에 북위 영역 내의 사찰이 2배 이상 증가했다는 것은, 불교교단이 급속히 증가하

---

57 鎌田茂雄, 앞의 책, p.367
58 양현지, 앞의 책, p. 24

고 불교신앙이 깊이 침투했음을 말해 주고 있다.

　수도 낙양에는 무수한 사찰이 건립되고 불교의례가 화려하게 거행되었으며, 불교는 지배계급에서 서민에 이르기까지 깊이 침투해 있었다.

　『위서』「석로지」에 의하면, 경명 초(500-503)에 세종은 대장추경(大長秋卿)인 백정(白整)에게 조칙을 내려, 대동(大同)의 영엄사석굴(靈嚴寺 石窟)에 준해서 낙양의 남쪽 이궐(伊闕)에 효문제와 그 황후 문소황태후를 위해 석굴 2곳을 조영하게 했다. 용문의 조상은 효문제가 낙양에 천도했을 무렵부터 사적으로는 행하고 있었지만, 칙명에 의해 더구나 확실하게 용문석굴의 개착이 시작된 것은 선무제의 경명년간 초부터였다.

　용문석굴의 조영을 명령 받은 대장추경 백정의 전기는 『위서』권94, 열전82의 「엄관전(閹官傳)」에 수록되어 었다. 백정은 궁형(宮刑)을 받은 환관(宦官)이었으나 입신하여 장추경(長秋卿)이 되어 궁정 안의 일을 총괄하는 장관이 되었다. 용문석굴의 조영에 관계한 백정(白整)·왕질(王質)·유등(劉騰) 세 사람은 모두 장추경직(長秋卿職)에 있었던 사람이므로 굴의 조영에는 장추경이 책임자로 임명되었음을 알 수 있다. 유등은 장림사(長林寺)도 건립했다. 용문의 조상은 영녕사와 함께 북위의 낙양불교 문화의 진수를 모은 것이다.

　선무제 때는 사원의 건립에도 힘을 기울였다. 경명년간(500~504)에 선양문(宣陽門) 밖 1리 되는 어도(御道)의 동쪽 앞에 소실산(少室山)을 바라보는 경치 좋은 곳에 경명사(景明寺)를 건립했다. 후에 정관년간(正光年間;520~524)에 영태후는 7층탑을 지었다. 이 탑의 화려함은 영녕사의 탑과 같았으며, 금반보탁(金盤寶鐸)의 찬란함은 구름 위에 빛났다 한다.

　또한 정시년간(正始年間;504~508)에는 백관에 의해 정시사(正始寺)가 세워졌다. 정시사는 동양문(東陽門) 밖 어도(御道)의 남쪽 경의리(敬義里)에 있었다. 선무제는 또한 요광니사(瑤光尼寺)를 건립했다. 효문제가 낙양으로 천도할 때 성안에 영녕사 1곳, 성밖에 니사(尼寺) 1곳이라 정했지만, 선무제 때에는 니사(尼寺)가 성안에도 세워졌다. 요광니사는 한규성문(閶闔城門)의 북쪽에 있었는데, 그것은 동쪽의 천추문(千秋門)에서 2리 떨어진 곳이었다. 이 사찰은 효문제의 폐황후(廢皇后) 범씨와 선무제의 황후 고씨(高氏)가 비구니가 되어 거주한 명찰이었다. 명문의 여성이 출가하여 비구니가 된 시절의 수도 도량이었다. 『낙양가람기(洛陽伽藍記)』 권1의 「요광사(瑤光寺)」조(條)에서는

> 초방 여인들이 도를 배우는 곳이었고, 별궁의 미인들이 이 절에 귀의하였다. 또한 명문의 처녀로서 성품이 도량(道場)을 좋아하여 머리를 끊고 부모 곁을 떠나 이 사찰로 온 자도 있었다. 그들은 진려(珍麗)의 장식을 버리고 수도(修道)의 옷을 입고 마음을 팔정(八正)에 두어 오로지 일승(一乘)에 귀의했다.[59]

고 기록하고 있다.

낙양불교문화의 정점은 영녕사의 건립이다. 『위서』 「석로지」는 영녕사의 건립에 대해 "숙종(肅宗)의 희평년간(熙平年間;516~527)에 성안 태사(太社)의 서쪽에 영녕사를 세웠다. 영태후는 친히 백관을 거느리고 초석을 깔고 찰간(刹竿)을 세웠다. 탑은 9층으로 높이가 440여 장(약 130m)이나 되었다. 그 대신 비용은 계산할 수 없을 정도로 많이 들었다. 이 절은 534년 북위가 멸망하던 해에 벼락을 맞아 대화재로 불타버렸다"고 말하고 있다. 영녕사의 화려함에 대해서는 『낙양가람기』 권1에 상세히 기록되어 있다.[60]

1979년부터 1994년까지 중국 사회과학원에 의해 영녕사지의 발굴이 이루어져 1996년에 보고서가 출판되었는데, 보고서에 의하면 탑의 방형 기단의 가로·세로가 각각 38.2미터였다고 한다. 우리나라의 경우 황룡사 탑의 높이가 80미터에 이르렀으니 그 규모를 짐작할 수 있다.

소조상군은 거의 대부분 파손되었는데 가운데 손으로 빚은 소조상

도68 영녕사지 소조상

---

59 양현지, 앞의 책, p. 55
60 같은 책, pp.34~48

제1장. 북위불교(北魏佛教)의 특징

들은 낙양 망산(邙山)의 왕후·귀족의 묘에서 출토한 6세기 전반의 토제 인형인 용(俑)과 상통하는 점이 있다. 그러나 고양동 위층 감실의 양대안 발원의 불상 얼굴과 비교되며, 달걀형의 얼굴, 눈초리가 째진 듯 치켜 올라간 눈, 콧방울이 불룩하고 입술이 통통한 점 등 공통되는 표현이 보인다. 이는 북위 낙양 문화를 이해하는 데 매우 중요한 자료이다.

경명사는 선무제가 경명년간(500-503)에 건립한 것이지만, 7층탑은 정광년간(520~524)에 영태후가 조성하였다. 영태후의 친정시대에 북위의 낙양불교 문화는 정점에 달했다. 『낙양가람기』권3「경명사(景明寺)」조에 화려한 불탄회(佛誕會)의 상황을 다음과 같이 묘사하고 있다.

> 당시 세상은 숭복(崇福)을 좋아하였다. 4월 7일에 경사(京師)의 모든 상은 모두 이 사찰로 모여들었다. 상서사부조(尚書祠部曹)의 기록에는 불상은 대략 1,000여 구였다고 한다. 8일의 절(節)이 되면 차례로 선양문(宣陽門)을 들어와 창합궁 앞으로 향하여 황제의 산화(散花)를 받았다. 그때 금화(金花)는 햇빛을 받아 빛났고 보개(寶蓋)는 구름 속으로 떠올랐으며, 당번(幢幡)은 수풀과 같고 향연(香煙)은 안개와 같았다. 범악(梵樂)의 법음(法音)은 천지를 진동하고 백희(百戲)가 오르자 여기저기에 늘어섰다. 명승덕중(名僧德衆)은 석장(錫杖)을 짚고 무리를 이루었고 신도법려(信徒法侶)는 꽃을 가지고 무리를 지었으며, 거기(車騎)는 길을 메워 북적거렸다. 그때 서역의 사문이 이 광경을 보고 부처님의 나라라고 외쳤다. **61**

이러한 묘사를 통해 북위 말기에 들어서면 얼마나 불교가 화려했었는지 알 수 있다. 북위 낙양문화는 북위가 한족화 과정을 거친 정점의 문화다. 효문제의 천도 이후로 지속

---

61 같은 책, p. 116

적인 사찰건립 제한조치에도 불구하고 낙양의 불교문화는 번성해 갔으며, 이러한 활발한 불교조영사업의 일환으로 무수한 북위의 석굴이 개착된 것이다.

불교의 유행풍조는 북위가 불교를 통해 얻으려 했던 국가불교화과정을 넘어서는 것이었다. 낙양시대 후기에 이르러 정점에 이른 북위의 불교문화는 유목전통에 있던 북위를 완전히 중국화 시켜주었으며, 이에 따라 북위의 불교문화는 중국문화의 한 축으로 자리할 수 있었다.

도69 운강석굴 6굴 동벽 초전법륜 사슴

도70 운강석굴 6굴 동벽

제1장. 북위불교(北魏佛敎)의 특징

도기 운강석굴 6굴 동벽

제2장

운강석굴의 불교문화

Ⅰ. 운강석굴의 불교문화

1. 담요오굴(曇曜五窟)과 국가불교

북위 불교는 폐불의 상처를 운강석굴(雲岡石窟)의 조성이라는 거대한 불사에 쏟아 부으며 불교의 입장과 황실과의 관계를 공고히 한 것으로 보인다. 앞서 불교부흥 이후 평성지역에서 실시한 불사에서 오급대사(五級大寺)[1]를 조성하는 과정에서 다섯 황제의 얼굴로 불상을 조성하였다는 기사를 살펴보아도 북위불교의 주도자들이 얼마나 황실과의 관계에 관심을 기울였는지를 능히 짐작 할 수 있다.

운강석굴도 이러한 전개 과정에서 살펴볼 수 있는 것이다. 이러한 일련의 과정을 볼 때 북위불교의 주도층은 황실과의 관계를 통해 안정적인 후원세력을 확보할 수 있었으며, 북위의 지배층들은 석굴조영을 통하여 그들의 정통성을 확립한 것으로 보인다. 이러한 과정이 앞서 언급한 오급대사의 건립으로부터 담요오굴의 건립과정을 통하여 보인다.

담요오굴은 북위불교의 국가불교화의 단면과 불교문화의 발전과 연관이 되어있는 매우 중요한 단서라고 할 수 있다. 국가사원의 성립과 더불어 국가불교의 전개양상이 석굴조영 속에 투영되어진 양상을 전하고 있는 것이다.

---

1 오급대사는 오층탑을 가지고 있는 사찰이라는 뜻이다.

(1) 운강석굴(雲岡石窟)의 개착(開鑿)과 사문통(沙門統) 담요(曇曜)

운강석굴은 담요에 의해 개착되었다. 운강석굴의 조성배경을 살피기 위해서는 담요에 대한 연구가 선행되어야 한다. 담요의 사상적 배경이 이 석굴조영에 투영된 것으로 파악할 수 있기 때문이다.

담요는 폐불 이후 불교부흥의 선두로 파악할 수 있다. 담요의 전기가 처음으로 보이는 사료는 『고승전(高僧傳)』권 11로서 「현고전(玄高傳)」에 덧붙여 있다.

> 당시 하서국(河西國)의 저거무건(沮渠茂虔)이 있었고 사문 담요가 있었는데
> 선업(禪業)으로 유명했다. 위태부(僞太傅) 담(潭)은 엎드려 사례(師禮)했다.[2]

담요에 대한 초기기록은 이 정도 밖에 보이지 않는다. 이 사료를 통해 볼 수 있는 담요는 양주지방의 승려로 파악할 수 있다. 도선(道宣)의 『속고승전(續高僧傳)』권1의 「위북태석굴사항안사문담요전(魏北台石窟寺恒安沙門曇曜傳)」을 보면 북위의 화평년간 소현통(昭玄統)에 임명되기 전의 담요에 관해

> 석담요(釋曇曜)는 아직 어떤 사람인지 자세히 알 수는 없다. 어릴 때 출가하여
> 일을 함(攝行)이 올바르고(堅貞) 안목(風鑒)은 한약(閑約)하였다.[3]

라 간단히 기술하고 있을 뿐이다. 이것은 아마 『고승전』이나 『위서』「석로지」에 별다른 정보가 없었던 것 때문인 것 같다. 담요(曇曜)의 본관이나 출신은 잘 알 수 없지만, 어릴 때 출가하여 계율을 견고히 지켰으며, 인품이 조용하고 식견이 올바른 사람이었다고 『속

---

2 『高僧傳』卷11(大正藏 50, p.386中) "時有沙門曇曜 亦以禪業見稱 僞太傅張潭伏膺師禮".

3 『續高僧傳』卷1(大正藏 50, 427下) "釋曇曜 未詳何許人也 小出家 攝行堅貞 風鑒閑約".

고승전』은 전하고 있는 것이다.

이러한 담요가 북량(北涼) 지방에 있다가 북위로 오는 것은 대무제의 북량정벌이후에 양주 지방이 점령되면서 이주해 온 3000여 명의 승려 무리들에 끼어 있었던 듯하다. 북량 정벌 이후 급격한 양주지방 승려의 유입은 당시 북위불교계에 새로운 바람을 일으켰던 것으로 보인다. 이러한 담요가 다시금 등장하는 것은 폐불 당시의 일로써『위서』「석로지」에는

> 담요는 절개가 굳어 공종(恭宗)의 신임을 받았다고 한다. 폐불을 단행하였을 때 많은 사문들이 환속하여 의술이나 다른 재능을 사용했으며, 불교신자인 공종을 만나 임용해 주기를 청하였다. 하지만 담요는 사문의 생활을 고수하려고 했다. 공종은 폐불이 강력히 추진되고 있으므로 사문으로 계속 있는 것은 위험하다고 판단하여 담요를 만나 환속할 것을 권하였다. 하지만 담요는 뜻을 굽히지 않고 언제나 은밀히 법복을 입고 기물을 몸에 지니고 다녔다. 이를 들은 사람들이 담요의 행위에 감탄하고 존경했다. 4

라고 기술하고 있다.

담요는 공종의 아들인 문성제가 등극하여 양주불교계의 인물들과 함께 불교부흥사업에 뛰어들었다. 담요가 사문통(沙門統)이 된 것은 460여년 경의 일이다. 이때부터 담요는 북위불교의 최고의 자리에 있으면서 불교부흥사업을 벌인 것을 볼 수 있다. 담요는 약 20년 간을 사문통이 되어 북위불교를 총괄하였는데 뒤에서 언급될 운강서굴의 개착만이 아니라, 경제사적으로 매우 중요한 승지호·불도호를 확립하였다.

양주출신의 승려라면 석굴 수행에는 매우 익숙한 존재였을 것이다. 양주 즉 돈황 출신

---

4 『魏書』卷114, 志 第20,「釋老志」"先是 沙門曇曜有操尙 又爲恭宗知禮 佛法之滅 沙門多以余能自效 還俗求見 曜誓欲守死 恭宗 親加勸諭 至於第三 不得已 乃止 密持法服器物 不誓離信 問者歎重之".

승려로서 양주지방에 있었던 석굴수행에 익숙한 것은 당연한 일이다. 『속고승전』「담요전」의 제목에서 보이듯 그는 석굴을 중심으로 그의 수행의 이력을 펼쳤을 것이고, 석굴 조성을 북위불교회복의 신호로 삼은 것은 당연한 일이다.

또한 『속고승전』을 보면 인도출신의 승려들과 함께 역경사업을 벌여 『부법장인연전(附法藏因緣傳)』 『정도삼매경(淨度三昧經)』을 역출하였다. 또한 「석로지」의 기록에 따르면 인도출신인 상나사사(常那邪舍)등과 함께 새로운 경전 14부를 역출하였다고 한다.[5] 하지만 담요의 역경에 관한 자료는 그다지 남아있지는 않다. 석로지에서 새로운 경전 14부를 역출했다고 하지만, 『출삼장기집』에서는 연흥(延興)2년(472) 서역 삼장 길가야(吉迦夜)와 공역한 것은 『잡보장경(雜寶藏經)』13권, 『부법장인연전(付法藏因緣傳)』6권, 『방편심론』2권의 3부 21권의 기록만이 전하고 있다.[6]

담요는 460년 경에 시작해서 언제까지 사문통을 맡았는지 알 수는 없지만 『광홍명집』의 기사를 통해 이러한 연대는 유추가 가능하다. 이 기록은 북위의 효문제가 내린 칙령으로

> 문하(門下)의 록공(錄公)등이 상표하여 신속히 사문의 도통(道統)을 정하고자 하는 것을 알았다. 요즘 자나 깨나 덕을 생각하여 사문의 도통을 정하고자 하는 것을 알았다. 요즘 자나 깨나 덕을 생각하여 현인을 뽑고자 마음속으로 생각하지만 불교를 계승하는 일을 누구에게 맡길지 알지 못한다. 혹은 도가 높고 나이가 많지만 리(理)가 따르지 않고, 혹은 재능이 현묘하고 식견이 높으면 세속적인 일을 기어코 사양한다. 지금 생각건대 사원사 주지인 법사 승현은 인자하고 고상하며 공경함이 아름다워 인품은 거울과 같고 ……. 최근에 이미 칙령을 내려 사문도통에 임해야 한다고 전했다.

---

5 『續高僧傳』卷1(大正藏 50, 427下).

6 『出三藏記集』卷2(大正藏55, p.13中).

또 부익(副翼) 두 가지 일은 승려와 속인이 같이하는데, 최근에 담통(曇統)이 혼자서 처리해 이 직책을 폐지해 버렸다. 지금 덕을 보좌하고 선을 돕는 일에 처음부터 이 사람을 임명하려고 했다. 황구사(皇舅寺)의 법사 승의는 품행이 공경할 만하고 마음이 맑으며 온화하고 성실하여 도업(道業)이 뛰어나므로 부익에 임명하고자 한다. 유나(維那)를 통솔하여 현도(賢徒)를 빛나게 하라.7

    라고 기술하고 있다. 자세한 연도는 등장하지 않고 있지만 이 기사를 통해 유추는 가능하다. 효문제의 재위기간이 499년도까지 이므로 그 이전의 기사임은 확실하다. 또한 사원사(思遠寺)의 건립에 대해『위서』「석로지」에서는 태화 원년(太和 元年;477년)으로 "방산(方山)의 태조(太祖) 영당(營堂)이 있는 곳에 사원사를 세웠다."8고 되어 있으므로 477년 3월 이후일 것이다.『위서』「태조기(太祖紀)」에 "태화 3년(479년)에 사원사가 조성되었다."9고 하고 있으므로 승현이 사원사에 주지로 온 것은 479년 이후일 것이다. 따라서 479년경 이후에 담요는 사문통직을 그만둔 것으로 볼 수 있다.

    담요의 전기를 통해 우리가 살피고자 하는 것은 국가불교화의 모습이다. 북위에 있어서 국가불교화의 단서를 제공하고 모델을 제시한 것은 법과지만 담요시기에 이르러 본격적인 국가불교화의 모습이 등장하는 것을 볼 수 있다.

    담요는 폐불이라는 시기를 겪으면서 북위불교가 국가체제 안에 공고히 정착할 수 있는 방법을 모색하였을 것이며, 이러한 방법들이 운강석굴의 개착이나 승관제의 확립, 승지호

---

7 『廣弘明集』卷24(大正藏52, p.272中) "帝以僧顯爲沙門都統詔 門下 近得錄公等表 知欲早定沙門都統 比考德選賢寤寐勤心 繼佛之任莫知誰寄 或有道高年尊 ……… 今以思遠寺主法師………可勅令爲沙門都統 又副儀".

8 『魏書』卷114,「釋老志」"又時太祖營堂之處 建思遠寺".

9 『魏書』卷7,「帝紀」第7, 高祖孝文帝 "乙亥 幸方山 起思遠佛寺".

(僧祇戶)·불도호(佛圖戶) 등의 방법론적인 토대를 구축한 것으로 보여진다.[10]

담요는 승지호·불도호를 이용해 교단의 경제력을 향상시키는 형태로 진행했다. 이러한 과정으로 효문제에게 주청해 결정된 승지호는 '매년 60석의 승지속(僧祇粟)을 승조(僧曹)에 납부해야만 하는 가구(家口)'를 말한다. 승조(僧曹)는 곡물들을 저장해 두었다 기근이 닥치면 가난한 사람들에게 나눠주었다. 승지호는 농업을 향상시켜 흉년이 들었을 때 고통을 완화시킬 수 있는 수단을 제공했다.

다만 승지속을 생산하는 토지는 승지호들이 소유하며 세금이 면제된 재산으로 여겨졌다. 때문에 승지호는 신속하게 확산됐다. 승조는 필요에 따라 곡물들을 팔 수 있는 권리도 갖고 있었으며 수익금은 불교적 목적에 사용됐다.

반면 불도호는 죄수들이나 노예들로 구성됐다. 그들은 사원의 토지를 경작하거나, 절 주변을 청소하고 장작을 패는 등 사원의 일상적인 일들을 했다.[11] 이는 죄수들의 노동력을 유용하게 사용하기 위한 것이었다. 따라서 그들은 국가의 경제적인 부담이 되지 않았다. 승지호·불도호는 국가에 경제적 도움이 되고 불교에도 유용한 제도였다. 승지호·불도호는 토지와 노동력을 교단에 귀속시키는 역할을 했고, 국가는 교단을 통제함으로써 결국 토지와 노동력을 관리할 수 있었다.

---

10 『魏書』卷114,「釋老志」상에서 승지호 제도에 대해서 언급하는 부분은 다음과 같다. "三年 昭玄都統曇曜言 平齊戶及民間 能歲輸粟入僧曹號僧祇粟 遇凶年則出賑饑民 又諸民犯重罪者為佛圖戶 供諸寺掃洒 帝許之 於是僧祇粟遍天下", "曇曜奏 平齊戶及諸民 , 有能歲輸穀六十斛入僧曹者, 即為「僧祇戶」粟為「僧祇粟」至於儉歲, 賑給饑民. 又請民犯重罪及官奴以為「佛圖戶」以供諸寺掃洒, 歲兼營田輸粟. 高宗並許之. 於是僧祇戶, 粟及寺戶, 徧於州鎮矣."
"四年夏, 詔曰 僧祇之粟, 本期濟施, 儉年出貸, 豊則收入. 山林僧尼, 隨以給施 民有窘弊, 亦即賑之. 但主司冒利, 規取贏息, 及其徵責, 不計水旱, 或償利過本, 或翻改券契, 侵蠹貧下, 莫知紀極. 細民嗟毒, 歲月滋深. 非所以矜此窮乏, 宗尚慈拯之本意也. 自今已後, 不得專委維那, 都尉, 可令刺史共初監括. 尚書檢諸有僧祇穀之處, 州別列其元數, 出入贏息, 賑給多少, 并貸償歲月, 見在未收, 上臺錄記. 若收利過本, 及翻改初券, 依律免之, 勿復徵貨. 或有私債, 轉施償僧, 即以丐民, 不聽收檢. 後有出貸, 先盡貧窮, 徵債之科, 一準舊格. 富有之家, 不聽輒貸. 脫仍冒濫, 依法治罪."
"又尚書令高肇奏言:「謹案:故沙門統曇曜, 昔於承明元年, 奏涼州軍戶趙苟子等二百家為僧祇戶, 立課積粟, 擬濟饑年, 不限道俗, 皆以拯施. 又依內律, 僧祇戶不得別屬一寺. 而都維那僧暹, 僧頻等, 進違成旨, 退乖內法. 肆意任情, 奏求逼召, 致使吁嗟之怨, 盈於行道, 棄子傷生, 自縊溺死, 五十餘人. 豈是仰贊聖明慈育之意, 深失陛下歸依之心, 遂令此等, 行號巷哭, 叫訴無所, 至乃白羽貫耳, 列訟宮闕. 悠悠之人, 易為哀痛, 況慈悲之士, 而可安之. 請聽苟子等還鄉課輸, 儉乏之年, 周給貧寡, 若有不虞, 以擬緩捍. 其暹等違旨背律, 謬奏之愆, 請付昭玄, 依僧律推處.詔曰「暹等特可原之, 餘如奏」"
11 『魏書』卷114,「釋老志」"曇曜奏 平齊戶及諸民 有能歲輸穀六十斛入僧曹者 即為僧祇戶 粟為僧祇粟 至於儉歲賑給饑民 又請民犯重罪及官奴以為佛圖戶 以供諸寺掃洒 歲兼營田輸粟 高宗並許之 於是僧祇戶 粟及寺戶 於州鎮矣".

도72 운강석굴 6굴 남벽 부조상

도73 운강석굴 6굴 남벽 하층 유성출가상

도74 운강석굴 6굴 탑주 남동면

이러한 경제적 기반은 북위불교에 있어서 대규모의 불사를 일으킬 수 있는 기반이 되었으며 운강석굴 조영에 있어서 그 역할을 추측할 수 있다.

(2) 운강석굴 조영 시기의 특징

『위서』「석로지」에

> 흥안(興安) 원년(452)에 불교부흥의 조칙이 내려지자 곧바로 유사(有司)에게 명하여 문성제(文成帝)와 같은 키의 석상을 만들게 하였다. 석상이 완성되자 얼굴 위와 발아래에는 각각 흑석이 있었는데, 그것은 문성제 신체의 아래위에 있는 검은 점과 모르는 사이에 일치하고 있었다. 논자는 순수함과 지성심이 부처님에게서 감응된 것이라고 말했다. **12**

라고 기술하고 있다. 이러한 석상의 조영은 운강석굴이 개착될 때 오제(五帝)의 상을 모시는 데도 투영된 것이라고 볼 수 있다. 이러한 흑점의 문제와 더불어 또 하나의 중요한 기사가 「석로지」에 전하는데

> 흥광 원년(454년) 가을에 칙명으로 오급대사 안에 태조 이하 오제를 위해 석가 입상(釋迦立像) 다섯 구를 주조했다. 이 상의 높이는 일장육척으로 적금 2만 5천근이 사용되었다. **13**

라고 기술하고 있다. 5구의 석가금동불은 북위의 오제를 대표하는 것으로 오제에 대한

---

12 『魏書』卷114 「釋老志」 "是年 詔有司 爲石像 令如帝身 旣成 顔上足下 各有黑石 冥同帝體上下黑子 論以爲純誠所感"
13 『魏書』卷114 「釋老志」 "興光元年秋 勅有司 於五級大寺內 爲太祖以下五帝 鑄釋迦立像 各長一丈六尺 用赤金二十五萬斤"

추선공양의 의미로 수도에 거대한 불상을 조성한 것으로 볼 수 있다. 군주에 대한 불교 교단의 정책적 협조외 제실(帝室) 종묘(宗廟)의 형태가 오금대사 안에 결합된 것이다. 이러한 두 가지의 기사를 놓고 볼 때 담요가 운강석굴을 개착하던 시기의 북위불교는 황제를 불교존상의 대상으로 삼고자하는 풍조가 있었던 것으로 보인다.

그리고 담요가 운강석굴을 개착하는 것에 관한 기사는

> 담요가 황제에게 아뢰어 경성(京城) 서쪽 무주새(武州塞)의 산 석벽을 개착하여 다섯 개의 굴을 열고 각각 불상 1구씩을 새겼다. 높은 것은 70척이나 되고 다음은 60척이며 조각의 훌륭함은 일세에 으뜸이라 하였다.[14]

대체로 운강석굴이 개착되는 시기는 460년 이후로 볼 수 있다. 이것은 담요가 사문통에 임명된 뒤 비교적 이른 시기에 석굴 조영에 착수한 것으로 추측할 수 있다. 석굴은 양식상으로 세 시기를 나누어 구분하고 있다. 이 세 시기로 나눈 방법은 학자들 간에 견해를 달리하는데 이것은 시기와 양식상 구분법에 따른 것이다.[15]

대표적인 구분법은 중국학자인 쑤바이(宿白)교수와 일본의 미즈노 세이치(水野淸一), 나가히라 토시오(長廣敏雄)교수에 의한 구분법이 있다. ① 쑤바이교수는 운강석굴을 구분함에 있어 1기를 담요오굴이 개착된 460~470까지로, 2기를 470~494, 3기를 494~526년으로 구분하고 있다. ② 미즈노 세이치교수와 나가히라 토시오교수는 7·8굴의 개착 또한 1기로 구분하여 1기를 475년 까지, 2기를 490년, 3기를 505년까지로 파악하고 있다. ③ 문명대교수는 1기를 460~465, 2기를 465~494, 3기를 495~524년으로 보고 있다. 이 분류법은 1기

---

14 『魏書』卷114「釋老志」 "曇曜白帝 於京城西武州塞 鑿山石壁 開窟五所 鐫建佛像各一 高者七十尺 次者六十尺 調飾奇偉 冠於一世"

15 운강석굴의 시기에 관한 논쟁은 水野淸一, 長廣敏雄의 16권으로 된 『雲岡石窟』의「雲岡石窟序說」(제1권), 「雲岡石窟寺」(제2권), 「雲岡石窟의 歷史的背景」(제3권), 「雲岡石窟次第」(제16권)에서 언급되고 있다. 이후 중국 측에서 宿白가「雲岡石窟分期試論」을 통해 '金碑'의 해석을 통해 제2기 석굴의 개착연대를 달리해석하고 있다.

석굴을 담요오굴을 중심으로 보느냐 하는 문제와 2기를 북위의 낙양천도 이전까지냐 하는 두 가지 관점을 중심으로 시기 구분을 한 것이다.[16]

양식상으로도 16굴과 7·8, 9·10굴의 유사성과 차이점을 중심으로 분류할 수 있기도 하지만 1기를 순수하게 담요오굴을 중심으로 분류하고, 2기는 낙양천도 이전까지로 구분하는 것이 옳다고 생각한다. 이는 단순한 양식사적 문제를 넘어 내면에 내재되어 있는 북위의 변천과 연관을 맺을 수 있는 중요한 시기 구분이기 때문이다. 담요오굴의 특징은 제2기 석굴에서 보이는 것과 달리 삼세불을 중심으로 한 단독굴의 형태를 띠고 있다.

운강석굴은 북위불교의 폐불이 단행되었던 446년에서 불과 14년 뒤인 460년경에 개착되어 지는데[17] 이러한 기록을 중심으로 추론을 해보면 담요오굴의 성격을 규명할 수 있다. 대체적으로 담요오굴은 제일 좌측의 굴이 20굴부터 개착되기 시작하여 서쪽에서 동쪽방향으로 진행되었다.

도키와 다이조우(常盤大定)교수와 세키노 다다시(關野貞)교수는 태조 이하 5제를 위해 금으로 주조한 석가모니불상(釋迦鑄金像)을 만들었다는 「석로지」의 내용에서 태조를 태조 도무제의 증조인 태조 평문제로 보았다. 그래서 5제가 태조의 선대로부터 비롯된다고 생각하여 20굴을 평문제의 굴로 19굴을 도무제, 18굴을 명원제, 17굴을 태무제, 16굴을 공종 경목제의 굴로 파악하고 있다.[18]

스가모토[19]교수는 이러한 추론을 중심으로 담요오굴에 조성된 불상들이 태조(太祖)이하의 다섯 황제를 상징한다고 파악하고 있다. 태조란 평문제가 아닌 실질적인 북위의 개조인 태조 도무제를 지칭한다고 보고 있다.[20] 스가모토 교수의 이러한 주장에 대해서는

---

16 文明大, 「雲岡石窟의 石窟形式과 佛像彫刻의 特徵」동국대학교편, 『중국대륙의 문화』 5권 雲岡石窟(한국언론간행위원회, 서울, 1991)p. 217

17 필자는 운강석굴의 개착시기를 宿白,「平城 における 國力의 集中と'雲岡樣式'의 形成과 發展」『雲岡石窟』一, 平凡社, 1989의 견해를 따라 460년에 개착되어진 것으로 파악한다.

18 최완수, 『한국불상의 원류를 찾아서』 p.175(서울, 대원사, 2002)

19 塚本善隆, 앞의 책, pp.219~225.

20 佐藤知水, 「雲岡佛教의 性格」『東洋學報』第59卷 第1·2號, 1997, pp.29~33

현재 별다른 반대의견이 존재하지는 않는다. 스가모토는 18굴이 당시황제인 문성제를 지칭한다고 보았다. 요시무라 레이(吉村怜)교수도 「답요오굴론(疊曜五窟論)」에서 18굴을 중심으로 신위소목(神位昭穆)[21]의 배열로 가운데 18동을 태조 도무제 굴로 나머지를 19굴을 명원제, 17동을 태무제, 20동을 경목제, 16동을 문성제의 것으로 추론하고 있다.[22] 미술사학계에서도 이러한 학설을 거의 정설로 받아들이고 있는데 나가히라 토시오(長廣敏雄)는 이러한 견해를 미술사적인 측면에서 수용하고 있다.[23]

그러나 이러한 결론은 무리가 따른다고 보고 있다. 운강석굴의 개착과정에 이 같은 오급대사의 전례를 따라 태조 이하 오제의 상을 새길 수 있다는 스가모토교수의 추론은 가능하지만, 이러한 전례가 반드시 운강석굴 조성 불사를 일으킬 원동력이 되었으리라고는 생각하지 않는다. 이 같은 추론은 북위 석굴의 성격을 어느 한 방향으로 결론지을 수 있는 문제가 있기에 추론을 유보하고자 하는 것이다.

당시 운강석굴을 개착하던 시기의 북위불교는 폐불의 공포에서 벗어나 새로운 불교로 발전하는 과정 속에 있었다. 한 시기에 거대한 불사를 일으킨 것은 북위불교의 새로운 태동을 보여주고 있다.

쑤바이는 평성에서 운강석굴이 개착될 수 있었던 가능성을 세가지로 정리하고 있다. 첫 번째는 도무제의 천도 이래로 물자와 인적 자원이 집중되었다는 점이다. 두 번째로는 평성지역에서 태무제 말기 폐불 이전까지 불교가 급격하게 발전하였다는 점이다. 세 번째는 서역제국과의 교류 및 복속을 통해 불교문화가 유입이 되었다는 점이다. 이 세 가지 조건으로 인해 인적 물적자원이 풍부해 공예 기술자를 비롯한 각종 인재들이 집중돼 있던 평성에서는 조상과 건립에 필요한 기초가 충실했으며, 서역제국과의 긴밀한 관계 속에서 조상이나 화상(畵像)의 전래에 유리한 조건을 갖추고 있었다. 북위황실은 중국의 입장에

---

21 신위를 배치하기 위한 순서를 말한다.
22 최완수, 앞의 책, pp.175~176.
23 長廣敏雄,『雲岡石窟』世界文化社,1976.

서 신흥민족 세력이었던 관계로 동서문화를 융합하여 새로운 석굴양식을 창조하는 것은 결코 우연한 일이 아니라는 주장이다.[24]

당시의 북위는 불교부흥을 적극적으로 추진한 사람은 사문통 담요와 이를 측면에서 지지하고 담요의 종교정책을 실행시킨 문명황태후라는 두 명의 걸출한 인물들에 의하여 부흥의 전기를 맞고 있었으며, 이러한 웅혼한 기상이 이 석굴의 조형에 투영될 수 있었다.

평성시대 후기의 북위불교는 452년에 불교부흥의 조칙이 발표된 이후부터 주로 사문통 담요의 활약으로 급속히 발전하였다. 『위서』 「석로지」에 의하면, 흥광(454) 이후 태화 원년(477)에 이르기까지 수도 내의 사찰은 신구 100곳에 달했고 승려의 수는 2천여 명이나 되었으며, 지방의 사찰은 6,478곳으로 늘어나고 승려의 수는 77,258명이나 되었다고 한다.[25] 남조에서 불교가 가장 융성했던 양대(梁代)에도 사찰이 2,846곳, 승려의 수가 82,700여 명이었다고 하는 것과 비교하면, 사찰의 수가 두 배 이상이고 승려의 수는 양대와 비교도 안 된다. 이것은 북위의 평성시대 후기, 더구나 겨우 24년간의 추세였다. 양대 약 50년간의 절반에 지나지 않는 기간에 비정상적인 불교교단의 팽창과 절과 탑의 증가에는 주목할 만하다.

이 급속한 불교부흥을 직접적으로 지휘한 것은 담요였으나, 그 배후에는 문명황태후의 힘이 있었다고 생각한다. 사문통 담요를 중심으로 불교부흥이 착착 실행되고 있을 때, 문명황태후의 친정(親政)과 그것을 돕는 사대부(士大夫)의 봉불행위가 서로 맞물려 북위의 평성시대 후기에는 조정을 중심으로 한 불교의 전성기가 출현하였다. 업성(鄴城) 주변에는 운강석굴이 조성된 이유도 이곳에서 찾을 수 있으며, 문명황태후와 고조의 능이 있는 방산(方山)에는 북위 조정의 보리사(菩提寺)의 성격을 가진 사원사(思遠寺)가 건립되어 현란한 불교문화가 개화하였다.

---

24 宿白, 앞의 논문, pp. 174~179.
25 『魏書』 卷114, 志 第20, 「釋老志」, "自興光至此 京城內寺新舊且百所 僧尼二千餘人 四方諸寺六千四百七十八 僧尼七萬七千二百五十八人".

2. 운강석굴 문화의 변천

운강석굴의 변천은 북위불교의 변화가 투영된 것이다. 이러한 것은 담요에 의해 개착되기 시작한 운강석굴이 2기, 3기로 넘어 가면서 양식적 변화를 일으킨 것은 단순한 양식적 변화가 아닌 북위불교의 변화와 북위사회의 변화와 밀접한 관련이 있다.

운강석굴의 형식은 제1기의 형식은 평면이 타원형에 가까운 말굽형(馬蹄形)이고, 천정은 궁륭형이었다가 2기로 넘어가면 평면은 직사각형의 전(前)·본실(本室)에 탑주(塔柱)가 중심에 위치하고 쌍굴(雙窟)을 대칭적으로 배치하는 것이 보편적이었다. 3기에는 탑굴(塔窟)·천불굴(千佛窟)·사벽삼감식(四壁三龕式)·사벽중감식(四壁重龕式) 등 4종류로 다양화된다.[26]

초기 형식은 간다라나 서역풍의 불상이 중국으로 수용되고 있으며, 5세기 말에 시작되는 2기 형식은 1기 불상의 양식이 漢化政策과 맞물려 중국풍의 불상양식으로 바뀌어 간다.

담요(曇曜)가 사문통(沙門統)에서 물러나는 479년 경 이후 새로운 석굴 조성자들의 의도가 담요오굴 이후에 새로운 양식을 발생시킨 것으로 보고 있다. 담요가 처음 시작한 이 불사는 담요 이후 새로운 형태를 취할 수밖에 없었으며, 이러한 석굴 변화는 바로 북위의 변천과 관련된 속성을 지니고 있다고 볼 수 있다.

(1) 담요5굴 조상의 내용과 사상

담요오굴은 운강석굴 제16굴에서 20굴까지다. 이 담요 5굴 각 굴 안을 가득 채운 거대한 조상이 이 시기의 가장 대표적인 특징이다. 거대한 불상의 조성에는 북위의 특성이 녹아 있다. 북위 문성제의 불교부흥정책이후 늘어난 사찰과 승려수의 증가는 압도적이라고 할 수 있다. 급격한 팽창과 거대한 석굴조상의 규모는 단적으로 북위불교의 팽창을 보여주고 있다고 할 것이며 이러한 팽창의 양상이 불상조상에 있어서도 그대로 반영되고 있다

---

26 문명대, 앞의 책. p. 217.

고 할 수 있다.

형태가 우람하고 장대한 용자(容姿)를 자랑하고 있다는 점이다. 넓은 얼굴, 짧은 목, 떡 벌어진 어깨, 두꺼운 가슴은 우람한 체구를 더욱 박력 있게 만들고 있다. 이렇게 웅장한 체구는 북위왕실의 '왕즉불(王卽佛)'이라는 사상에 걸맞는 매우 적절한 상으로 보고 있다.[27] 즉『석로지』에 보이는 천자를 당금(當今)의 여래라는 설에 따라 연구자들은 대개 담요 5굴의 불상들은 북위황제의 형상과 흡사한 것으로 이해해 왔다.[28]

담요는 439년 북위에 의해 북량이 평정되었을 때 양주 지방에서 평성으로 왔다. 이 5굴을 조성한 담요는 기본적으로 서역풍 불상 양식에 친숙했을 것이다. 운강석굴 제1기의 석굴이 담요에 의해 주도 되었으니 서역풍의 양식이 나타나게 되는 것은 당연한 일이다.

더욱이 담요 5굴이 이 정도까지 거대한 규모로 나타나게 되었던 배경에는 4, 5세기경 상당히 거대한 스투코 상을 제작하고 있었던 간다라 지방의 조형방식이 교역로를 통하여 평성에 영향을 미쳤을 것이다. 담요 5굴 가운데 18·19·20굴의 조각은 대체로 같은 양식과 형식으로 이루어져 있다. 얼굴은 넓은 면들로 구성된 방형에 가깝고, 뺨에서 턱까지는 꽉 차서 터질듯한 원만함이 나타나 있다. 이것은 북위를 지배했던 몽골계 탁발족의 이상적인 용모와도 관계가 있지 않을까 생각된다. 체구는 약간 평면적이며 어깨 폭은 넓고 양감이 뚜렷하다. 이와 같은 운강 제1기 양식의 존상들은 북위라는 국가가 흥륭했음을 말해주듯 힘이 넘친다.

문명대 교수가 정리한 의견에 따라 특징을 분류해 보자면

첫째, 석굴의 평면은 모두 타원형에 가까운 말발굽형 (馬締順)인데 평면의 구성은 3가지로 나눌 수 있다. 16·17굴에서 볼 수 있는 예처럼 본존불(本尊佛)을 뒷벽에 걸쳐 독존으로

---

27 같은 책, p.227.

28 이러한 이론은 塚本善隆의「雲岡三則」에서 극명하게 보이고 있다. 이러한 의견의 문성제 당시 문성제의 모양을 닮은 불상, 오급대사 내에 설치한 '太祖已下五帝'의 기사와의 연관관계를 중심으로 논구하고 있는 것이다. 이러한 연구 태도는「釋老志」를 중심으로 연구한 학자들에 의해 계속 계승이 되어졌으며, 현재 학계에서는 별다른 이견이 보이지 않는다.

봉안한 경우와, 18·20굴처럼 본존불은 뒷벽에 협시보살은 좌우벽에 배치한 경우, 19굴처럼 본존불은 주실에 좌우 협시상은 좌우 협실에 봉안하는 경우 등 세 유형으로 나눌 수 있다

둘째, 석굴의 입면(立面)은 입구를 제외한 4벽면에 각각 감실과 조상들을 전면적으로 배치하였는데, 16굴은 불규칙하여 가장 떨어지는 면을 보여주고 있다.

셋째, 천정은 모두 돔형의 궁륭천정을 이루고 있는데 17굴 천정에서 보이다시피 이러한 돔형은 간다라 지방의 붓카라 제2사원지 석굴의 천정이나 탁티바히 사원의 승방천정 같은 인도의 궁륭천정과 흡사한 것으로 특히 주목된다.

넷째, 굴 입구 윗부분(上方)에 반드시 광창(光窓)을 뚫어 본존불에 빛이 비치도록 장치하고 있다. 18·19굴의 광창처럼 사각형에 윗부분을 둥글게 마무리한 큼직한 광창은 퍽 인상적이다. 입구문은 19굴처럼 지상보다 높고 작게 하는 경우도 있다.

다섯째, 석굴 전체는 인도의 초가집을 모델로 한 것으로 생각될 만큼 초가형태를 보여주고 있다.[29]

이들 5불상의 주제는 석가불입상과 미륵보살상인데 기본적으로 각지면서 둥근 얼굴에 깊은 눈, 높은 코의 인상적인 얼굴과 짧은 목, 팽창된 어깨, 두꺼운 가슴 등 웅건하고 기백이 넘치는 형태를 보여주고 있어서 서방적인 요소가 짙게 나타난다고 할 수 있다. 이러한 양식적인 요소들은 북위불교가 서방의 불교를 수용하는 과정에서 필연적으로 발생한 것이라고 보인다.

이러한 수용과정과 더불어 살펴보아야 할 것은 만약 이 불상의 주제가 앞서 언급했듯이 쓰가모토교수의 의견에 따라 황제들의 존상이라고 한다[30]면 거대한 다섯 존상의 특징이 가능하다고 본다.

---

29 문명대, 앞의 책, pp. 217~218.
30 塚本善隆, 앞의 책, pp.223~224.

도75 운강석굴 17굴 교각미륵보살상

　제16굴 불상은 입상인데 시무외(施無畏), 여원인(與願印)을 한두 손은 힘차게 표현하고 있으며, 발은 연화좌를 딛고 있다. 배에서 길게 내려뜨려진 신(紳)이라는 띠 매듭 자락에서 중국 천자복제(天子服制)가 나타나므로 이 불상의 편년을 다른 담요오굴과 구별하는 경향도 있지만 이 문제는 간단히 해결될 수 없는 문제다.[31] 북위 복제 개혁은 486년의 일인데 최소 20년 이상이나 앞서가는 불상의 표현은 상당히 이른 예라 할 수 있지만 여러 가지 정황으로 보아 그런 표현이 불가능한 것 만은 아니라고 판단된다.[32]

　제17굴은 교각보살상인데 16.25m의 장대한 보살상은 웅건한 모습을 잘 나타내고 있다. 얼굴은 풍화작용 때문에 파손이 심하지만 강건한 풍모임을 보이고 있다. 떡 벌어진 어깨와 당당한 가슴, 교차한 두 다리의 역동감 나는 표현들은 운강양식의 특징을 실감나게

31　문명대, 앞의 책, p. 220.

32　長廣敏雄,「雲岡石窟における佛像の服制について」『東方　　學報』15(京都,1947), pp.1~24, 배진달, 앞의 책, p.106에서 재인용.

도76 운강석굴 16굴 본존불입상

제2장. 운강석굴의 불교문화

도77 운강석굴 18굴 북벽 불입상

보여준다. 비교적 이른 시기에 나타난 미륵보살상은 북위 석굴에 있어서 중요한 소재가 된다고 할 수 있다.

이 굴에는 '태화(太和) 13년 (489)에 비구 혜정(惠定)이 병의 쾌유를 기원해 석가·다보·미륵상 3구를 조상 발원한다.'는 조상기[33]가 있어서 법화경변상에 의한 석가, 다보, 미륵삼존불 장면과[34] 함께 대불완성 후에도 각 벽면에 계속적으로 조성한 점을 보여주고 있다.

제18굴은 15.6m 의 주존 불상과 좌우 협시불입상과 보살상(二佛二菩薩)들은 웅건한 체구, 위엄에 찬 얼굴 등 운강 초기 불상의 특징을 보여준다. 18굴은 불상은 불신의 표면에 천불을 부조한 노사나불(盧舍那佛)로 추정되고 있다.[35] 노사나불의 조상은 사상사적으로 중요한 의미를 지닌다. 노사나불의 특징은 법신에 있다. 즉 현세의 석가불 이전의 법신으로서의 노사나불을 조성한 것이라면 본원적인 불상으로서 해석될 여지가 존재하고 있는 것이다. 만약 화엄사상에 따른 노사나불을 18굴의 본존격으로 놓을 수 있다면 18굴의 특징은 과거-현재-미래의(過現未) 삼세불이 아닌 법신-보신-화신의 삼신불(三身佛) 사상으로도 해석될 수 있을 가능성도 있다.

또한 굴 벽에 새겨진 십대제자상들은 미목이 수려하고 개성미가 넘치는 뛰어난 걸작들이다. 이 십대제자상의 조각은 중국에서 최초로 조각이 되었다고 한다.[36]

제19굴은 17m 높이의 본존불좌상을 봉안하고 그 좌우 협굴에 협시불상을 배치하는 독특한 구성미를 보여주고 있다. 얼굴은 턱이 깨어져 없어졌지만 박력 있는 얼굴, 바로 뜬 눈, 큼직한 코들은 18굴 불상과 흡사한 것을 알 수 있게 한다. 이와 아울러 거대하고 당당한 체구, 평행계단식 옷주름, 박진감 넘치는 형태 등에서 20굴 본존상과 비슷한 점이 많아

33 姜豊榮, 「對<雲岡石窟十七窟比丘慧定造像記考釋>一文的商榷」, 『北朝研究』2(1990. 6), pp.126~127
34 다음 글을 참조할 수 있다.
    ① 문명대, 「태안 백제 마애불상의 연구」 『불교미술연구』2(1995.12) 및 『삼국시대불교조각사연구』(예경, 2003.9 재수록)
    ② 문명대, 「백제서산마애삼존불상의 도상해석」 『미술사학연구』221·222(1999.6) 및 문명대, 「서산백제삼존불상의 도상해석」 『삼국시대불교조각사연구』(예경, 2003.9 재수록)
35 水野淸一, 「いわゆる華嚴教主盧舍那佛の入相について」 『東方學報』18(東京,1950) pp.128~137
36 배진달, 『중국의 불상』(서울, 일지사, 2005) p.104

도78 운강석굴 제19굴 북벽불입상

북위의 국력이 이들 불상에 살아난 것으로 생각된다. 또한 본존불 옆에는 의좌상(倚坐像)으로 표현된 미륵불상이 배치되어 있다. 이것은 석가불과 미륵불로 이어지는 현세불과 미래불의 도식을 보여주고 있다고 할 수 있다.

서남방향 모서리의 상은 왼손을 내려 무릎을 꿇고 있는 궤좌형 동자(跪坐形 童子)의 머리를 쓰다듬고 있는 상인데 부처님이 아들 라후라와 만나는 장면을 도상화한 흥미 있는 부조상이다.

제20굴은 주존상은 박력 있는 얼굴, 팽만된 뺨, 바로 뜬 눈과 흑요석처럼 빛나는 눈동자, 거대한 코, 빚은 듯한 콧잔등과 꽉 다문 입들은 18·19굴 본존상 얼굴과 흡사하며, 넓게 팽창한 어깨와 떡 벌어진 가슴, 당당하고 위엄찬 체구도 19굴 본존상과 흡사한 형태이지만 훨씬 생동감 있고 활기에 넘치는 모습을 보여준다.

가장 처음 조성한 이 불상은 당시 불상의 특징을 극명하게 드러낸다고 할 수 있다. 앞서 언급했던 이 당당한 묘사는 당시 북방의 맹주로 위세를 떨치던 북위의 강력한 왕권을 상징한다고 할 수 있다.[37]

오른쪽 어깨에 살짝 걸친 옷자락은 통견의(通肩衣)를 착의한 것으로 보이고 있다. 옷주름은 두껍고 돌출한 의습선에, 중심으로 작은 음각선을 새겨 특이한 주름형태를 나타내고 있으며, 옷단의 무늬와 오른쪽 어깨로 걸친 화염문 같은 날카로운 의문선 등은 보다 박진감 있게 보인다. 이런 특이한 옷주름과 함께 건장한 형태미 등은 간다라의 카르가이

---

37 문명대, 앞의 책, p.221

도79 운강석굴 20굴 불좌상

마애불과 흡사하여 간다라 마애불 양식의 영향이 농후한 점을 여실히 보여주고 있어서 간다라불상과 운강 초기불상은 밀접한 관계가 잇음을 잘 알 수 있다. 9.6m의 좌협시 불입상역시 본존불과 흡사한 양식이어서 우리의 관심을 높여준다. 이러한 삼존불상은 삼세불(三世佛)이라고 파악할 수 있는데 삼세불이라면 이러한 삼세불의 사상은 과거로부터 미래로이어지는 불교의 영속성을 바라는 담요의 생각이 그대로 드러나는 것이다.

온옥성(溫玉成)은 담요오굴을 해석하면서 담요가 설계한 5굴은 다른 의미를 가지고 있었다고 보았다. 이들 오불이 불법이 멸(滅)하지 않고 영원히 지속되기를 바람에서 조성되었던 것이라고 할 수 있고, 폐불에 대한 하나의 반격으로도 해석할 수 있다고 보고 '오불은

마땅히 과거 삼불, 석가, 미륵이 되어야 한다.'라고 보고 있다.[38] 법현(法顯)은 일찍이 승가
시국(僧伽施國)에서 "과거삼불병석가문불좌처(過去三佛幷釋迦文佛坐處)"의 기념탑을 참
배한 적이 있었다고 한다.[39] 18호굴 주존의 가사 위에 부조된 천불은 아마 현겁천불을 표현
한 듯하다고 해석하고 있다. 이미 이 시대에 구마라집에 의해『천불인연경(千佛因緣經)』[40]
이 번역이 되었으니 이러한 추측은 가능할 것이다.

18굴, 19굴, 20굴은 삼세불이며 17굴은 미륵보살, 16굴을 석가불에 배대한다면 온옥성
이 제기한 문제와 더불어 쓰가모토가 제기하고 있는 북위 사상의 변천사와도 많은 연관성
을 유지할 수 있다.

따라서 담요오굴의 정체성에 관한 학자들의 논란을 살필 필요가 있다고 본다. 이것은 양
식적으로 나타나는 불상의 문제를 당시의 사상과 연관을 지을 필요가 있다고 할 수 있다.

(2) 제2기의 한화정책(漢化政策)

이 시기는 북위의 천도 시기와 연관되어 불상의 변화를 보여주고 있다. 즉 북위의 정책
변화와 맞물린 한족화된 불상이 나타나는 것이 특징이라고 할 수 있다.

한화정책(漢化政策)이 본격적으로 시작되는 시기는 연흥원년(延興元年;471)부터이다.
효문제 즉위 후 지속적인 한화정책을 실시하였는데 이러한 배경에는 문명황태후가 한족
출신이라는 점도 중요한 요인이 되었을 것이다. 또한 태화 10년(486)에 실시한 황제의 곤
면복(袞冕服) 착용을 시작[41]으로 태화(太和) 18년(494)에 실시한 일반인들의 호복(胡服)
착용금지[42]의 배경이 운강석굴 2기 조영에 중요한 단서가 된다고 할 수 있다.

---

38 溫玉成, 앞의 책, p.45
39 『高僧法顯傳』一卷(大正藏 51권, p.859) "及過去三佛幷釋迦文佛坐處經行處"
40 『佛說千佛因緣經』(大正藏 14권, p.66) "世尊 世尊與賢劫千佛 過去世時 種何功德 修何道行 常生一處同共一家"
41 『魏書』卷7 帝紀第7「高祖孝文帝」"十年春正月癸亥朔 帝始服袞冕 朝饗萬國"
42 『魏書』卷7 帝紀第7「高祖孝文帝」"革衣服之制"

이 시기의 불상은 『법화경』이나 『유마경』 같은 불경에서 전거한 것인데[43] 이들은 세장(細長)하고 우아한 이른바 청수조(淸秀燥)이며, 불의(佛衣)는 포익박대식(襃衣博帶式)의 특징[44]을 보여주고 있다. 화화양식(華化樣式)이 현저히 진행된 것은 바로 북위불교가 절정을 이루던 시기인 효문제의 낙양천도 이전에 해당된다는 점은 이 시기 불상의 특징을 잘 말해주는 것이다.

담요 5굴에 이어서 조영된 것은 제7, 8굴 및 제9, 10굴로 각각이 쌍을 이룬다. 이 네 굴의 조형에는 담요 5굴과 같은 박력은 없다. 그러나 고졸(古拙)한 미소를 띠고 있는 폭이 넓고 둥글며 생기 있는 얼굴은 이세상의 것으로 생각되지 않는 부드럽고 온화하며 밝은 분위기를 자아내고 있다. 비상(飛翔)하며, 합장한 천인(天人)들은 얇은 옷을 몸에 걸치고 있는데 옷을 통해서 풍만한 신체의 선이 보인다.

더구나 제9, 10굴의 조영 연대에 대해서는 금대(金代)의 비문을 근거로 생각하는 쑤바이와, 조상 양식 및 형식을 바탕으로 생각하는 교토 대학의 나가히라 토시오가 오랜 기간에 걸쳐 논쟁을 벌였으나, 양자의 방법론이 다르므로 아직도 결론이 나지 않고 있다.[45]

다음으로 조성된 것은 제5, 6의 쌍굴(雙窟)이다. 제5굴은 거대한 삼존불을 배치한 굴이고, 제6굴은 천정에 이르는 14.4m의 중심주(中心柱)를 지니고 있다. 특히 제6굴은 중심주의 상하와 네 면, 천정, 주위의 네 벽에 크고 작은 조각이 빈틈없이 새겨져 있어 굴 안에 들어온 사람들은 그 장엄한 모습에 압도된다.

이러한 쌍굴의 형식은 황제와 황후를 위하여 조성하는 것이다. 쌍굴에 대하여 「석로지」에 기술된 기사를 중심으로 추정할 수 있다.

---

43 이것은 앞서 언급한 승연과 그 문하의 특징을 보면 자세히 나온다.

44 李正曉, 「雲岡石窟造像中의 "襃衣博帶"와 "秀骨淸像" – 그 변천과정과 몇 가지 문제」 『美術을 通해 본 中國史』 pp.193~199, 배진달, 앞의 책, p.109 재인용

45 문명대, 위의 책, p.222

경명(景明) 초(500)에 대장추경(大長秋卿)인 백정(白整)에게 조칙을 내려, 대동(大同)의 영암사 석굴(靈巖寺 石窟)에 준해서 낙양의 남쪽 이궐산(伊關山)에 효문제와 그 황후 문소황태후를 위해 석굴 2곳을 조영하게 했다.**46**

이 기사에서도 추정할 수 있듯이 용문석굴보다 후기에 조성되어진 운강석굴의 쌍굴 형식은 황제와 황후를 위하여 조성한 것으로 보인다. 1기의 석굴이 황제를 위하여 세겨 놓았다면 2기의 석굴들은 황제와 황후 양자를 위해 세겨 놓았다는 부분에서 알 수 있듯이 황후의 권력이 강해지는 북위 중기 이후의 상황과도 연관이 있다. 본래 유목민족의 기질을 지니고 있던 북위 황실은 당연히 모계의 권한이 강할 수밖에 없었으며, 이러한 북위 황실의 특성이 쌍굴의 조성과정에서도 나타나는 것이다.

제5굴의 주존은 불좌상인데 좌우 협시로 불입상이 각각 배치되어있어서 제1기의 3불 구성이 계승되고 있는 것을 알 수 있다. 제6굴의 주존은 아래쪽 감실에 불좌상, 좌우 협시로 불입상, 상감실에는 3불입상이 봉안되어 있어서 3불배치가 주류를 이룬다. 탑주는 4방불로 하층에는 남 불좌상, 서 미륵보살상, 북 석가·다보병좌상이 배치되었고, 상층에는 4면에 모두 불입상이 새겨져있다. 앞의 벽면에는 역시 유마·문수보살을 새긴 감실이 있다.

제5, 6굴의 상은 밝고 부드러우며 원만한 얼굴 모양과 양감 있고 어깨가 넓은 요소를 앞 시기로부터 이어받고 있다. 그러나 크게 변화한 것은 옷을 입는 형식이다. 이 새로운 복제는 종래의 편단우견이나 통견 형식과는 다르고, 뒷면부터 앞으로 둘러진 대의가 오른쪽 가슴, 오른쪽 팔을 덮고 앞가슴을 크게 열면서 편 쪽 팔에 걸쳐진다. 좌우 양쪽의 옷깃이 아래로 내려온다고 하여 쌍령하수식 복제(雙領下垂式 服制)라고도 불리는데 이 형식에서는 넓게 열린 앞가슴을 통해 안에 입은 내의나 끈이 보이는 경우도 많다. 여기에서 특

---

46 『魏書』卷114, 志 第20, 「釋老志」, "景明初, 世宗詔大長執卿白整, 准代京靈岩寺石窟, 于洛南伊關山, 爲高祖, 文昭皇太后營石鑛二所".

징적인 것은 옷이 여러 겹 포개졌거나 두꺼운 질감으로 표현되어 있어서 신체의 윤곽선이 옷을 통해서 잘 드러나지 않는다는 점이다. 또한 불 입상의 대의 옷자락이 좌우대칭이고 물고기 지느러미 모양으로 퍼져서 인공적인 아름다움을 보인다. 보살과 천인의 복식도 변화하여 전신의 신체선이나 살을 드러내지 않는 경향이 나타나고 있다.

이러한 착의법의 변화원인에 대해서는 여러 가지 논의가 이루어지고 있는데, 당시 황제였던 효문제가 한화정책을 일관하며 태화 10년(486)을 중심으로 여러 번 공포하였던 호복금지령(胡服禁止令)도 역시 큰 원인의 하나일 것이다. 호복금지령이 북위 전역에 걸쳐 실시되었기 때문에 황제 자신도 몽골계 탁발족의 호복을 벗어 버리고 한민족의 복장을 했다고 한다. 불상의 옷도 또한 살의 노출을 기피하는 한민족의 미의식에 따라 달라졌다고 할 수 있다.

제7, 8굴 중 7굴의 주존은 아래쪽 감실에는 석가·다보병좌상이 봉안되었고, 위쪽에는 중앙에 미륵보살, 양쪽에 불 의좌상이 배치되어있다. 8굴의 주존은 아래쪽 감실에 불좌상, 위쪽 감실에는 불좌상과 양협시로 미륵보살상이 배치되고 있다. 이러한 배치는『법화경』의 사상이 녹아있는 것이다. 또한 유마·문수상의 조각은『유마경』의 사상에 따른 것이다.

제9, 10굴 주존은 주실 뒷부분의 중앙에 봉안했고 연도의 벽면에는 공양자상을 부조했다. 전실의 각 벽면에 층층으로 감실을 배치하고 그 아래쪽에 옆으로 길게 부조를 새기고 있고, 아래에도 공양자의 행렬을 새기고 있다. 전실을 지나 주실 입구 양쪽에 호법신장상을 조각했고, 제10굴 주실 입구 양쪽에 머리에 익관(翼冠)을 쓴 호법신장상이 부조되어 있다.

제9굴의 주존은 불의좌상인데 명칭은 미륵불로 생각된다. 제10굴의 주존은 미륵보살상인데 전실후벽 중앙에 수미산이 조각된 것이 특이하며, 두 굴에는 모두 교각불상이 새겨져 있는 것이 또한 특징이다.

제1·2굴 주존은 후벽 감실 안에 봉안했는데 이 아래 긴 횡렬 부조가 있고 그 아래 공양자의 행렬이 조각되어 있다. 탑주(塔柱)는 네모꼴인데 제 1굴은 2층, 제2굴은 3층의 구조로써, 각 층마다 4면에 감실을 배치하였다.

제1굴의 주존은 미륵보살상이며, 탑주 하층에는 불좌상이 대부분이고, 상층에는 미륵보살상이 많은 편이다.

제2굴의 주존은 불좌상이다. 탑주 하층의 남면은 석가·다보병좌상이고 기타 3면에는 불좌상이 조각되어 있으며, 중층의 남서 2면에 불좌상, 동면에 미륵보살상, 북면에 불의좌상이 봉안되었다. 상층의 남·북 두면에 미륵보살상, 남·서 두 면에는 불좌상이 있고, 역시 이들 두 굴에는 유마·문수상이 배치되어 있다.

제11·12·13굴은 벽면에 층층으로 감실을 배열했으며, 중앙에는 방형(方形)의 이층(二層)으로된 탑주(塔柱)가 서 있는데 아래층의 조각이 바로 이 굴의 주존들 이다. 굴의 주존은 주실 후벽의 상하 2층의 감실 안에 새겨진 것이다. 굴의 주존은 굴 내 중앙의 약간 뒤쪽에 있는데 기타 벽면에는 층층으로 나누어 감실이 배치되어있다.

제3굴 주존은 주실후벽 중앙부에 돌출되게 조각되어 있는데 이것은 시공 중 수도의 이전 때문에 중단된 것으로 판단된다. 현존하는 서쪽 큰 감실은 당나라 초기 경에 조영된 것으로 보고 있다.

상층 굴실의 주존은 뒷벽면의 감실에 봉안되어 있으며, 다른 벽면에는 천불이 배치되어 있다. 탑주는 쌍탑인데 방형 3층으로 구성된 것이다.

상층 굴실의 주존은 미륵보살상이며, 방탑의 탑주 하층에는 주존으로 석가·다보이불병좌상이 배치되어 있다.

형태면에서 담요5굴의 불상들처럼 우람한 형태를 나타내는 불상, 가령 5굴 본존상이나 5굴 주실 방주(方柱) 상층의 남면불입상 또는 13굴 남벽중층 불입상들처럼 웅장하고 당당한 모습을 보여주기도 하지만, 이런 상들도 괴량감을 더하거나 벌써 역강함이 많이 줄어든 상태로 변했거나 장식화가 뚜렷해지고 있다.

이 시기의 불상들의 대부분은 늘씬하거나 우아한 형태를 이루고 있어서 앞 시기와는 꽤 변모된 모습인 것이다. 문성제의 적극적인 회화정책으로 얼굴이나 신체가 상당히 중국적인 귀족화가 이루어졌으며, 불의가 중국식 복장으로 변모되었는데 특히 띠가 길게 내려진 이른바 신(紳)이 등장한 것이 눈에 띄는 뚜렷한 변화이다.

쑤바이는 이 시기를 새로운 개혁정책이 시도되는 시대상의 특징이 불상 조각 안에서 반영된 것으로 보고 있다.[47] 이러한 북위의 정책은 한화정책을 통한 중국사회로의 유입이라고 할 수 있으며, 이러한 북위정책의 특징이 석굴조영에 고스란히 나타나고 있다고 할 수 있다.

(3) 제3기의 사상변화와 문화 특징

3기의 석굴은 낙양 천도 이후에 만들어진 굴이다.

제3기의 석굴은 4·14·153, 11굴에서부터 13굴의 외벽과 그 서쪽의 상부와 5·6굴의 상부에서부터 동쪽에 중·소형굴들과, 21굴부터 서쪽으로 위치한 굴들이 모두 이 시기에 해당된다. 가장 많은 양이지만 크기는 대개 중·소형이다. 이 시기의 중·소형 굴실의 총 수는 약 150굴 이상이며, 1·2기의 굴의 내부와 굴 입구에 조영한 작은 감실 또한 약 200실 이상이나 된다.[48] 담요5굴의 천불상(千佛像)도 이 시기에 조성한 것이어서 복잡한 양상을 보여주고 있다.

따라서 이들은 크게 4형식으로 구분할 수 있는데, 제1형을 제외하고는 대개 평면이 방형(方形), 천정은 평천정(平天頂)인 것이 원칙이다. 정면·좌·우의 벽면을 세우고 대감실(大龕室)을 배치한 이른바 삼벽삼감(三壁三龕) 형식의 석굴이 크게 유행하였는데, 현재 발견된 것이 70굴에 이르고 있어 제3기 중·소형 굴의 약 반을 차지하고 있다. 이러한 새로운 형식

---

47 宿白, 앞의 논문, p.191.
48 같은 논문, p.191

은 낙양의 용문석굴 형식에서 크게 유행하고 있는 것으로 우리의 관심을 끌고 있다.[49]

　3기불상의 형태는 2기보다 한층 더 청수(淸秀)해지고 온화하고 우아해진 모습을 나타내고 있다. 고졸한 미소나 반안(半眼)의 명상적인 표현도 이와 관련되어 주목된다. 또한 장식화가 더욱 진행되어 번잡해질 정도로 형식화되기도 한다. 특희 군의(裙衣)나 대의(大衣)끝단 주름의 복잡성과 상현좌(裳縣座)의 복잡하고 정연한 주름 따위는 이 시기 불상의 성격을 잘 보여 주고 있다.[50] 이러한 양상은 북위가 낙양으로 천도한 이후 나타나는 급격한 한족화의 증거를 보인다고 할 수 있다.

　북위불교는 시작에서부터 국가불교적 특징을 지니고 출발했었다. 이러한 북위불교의 국가 통제하에서의 발전은 북위불교가 이전 시대에서 보지 못한 대규모의 불사를 일으킬 수 있는 동력을 가지고 있었던 것으로 보인다. 이러한 동력의 배경에는 강력한 북위왕실의 후원이 존재하는 것이었으며, 따라서 석굴조영에 있어서도 이러한 북위왕실의 영향이 고스란히 표현되고 있는 것이다. 따라서 당시의 시대적 흐름이었던 한화정책이 석굴조영의 흐름을 바꾸는 특징을 지니고 있다고 볼 수 있다.

49　문명대, 앞의 책, p.219.

50　같은 책, p.228.

부 록

Ⅱ. 부록 : 용문석굴(龍門石窟)의 불교문화

운강석굴에는 국가의 변화와 맞물린 불교문화의 전개가 극명하게 드러난다면 용문석굴에는 개인적 신앙의 흐름과 국가적 기원이 담긴 신앙적 내용이 중심을 이루고 있다고 할 수 있다. 이러한 것은 국가불교의 사상이 완전히 정착하여 민간 속에 녹아든 형태를 보이고 있기 때문이다.

북위의 신앙대상의 변천은 석가모니를 중심으로 한 것에서부터 미륵신앙과의 조화를 이루어 내는 것으로 보인다. 「석로지」 안에서 '석가이전에 여섯 부처가 있었다. 석가는 여섯 부처를 계승하여 깨달음을 얻었다. 지금 현겁에 이야기하기를 장래에 미륵불이 올 것이다. 석가의 뒤를 이어 세상에 오리라.'[1]라고 기술된 것처럼 북위에 있어서 미륵불은 석가불의 뒤를 잇는 대상으로서 신앙의 대상이 되었다.

---

[1] 『魏書』卷114, 志 第20,「釋老志」,"釋迦前有六佛 釋迦繼六佛而成道 處今賢劫 文言將來有彌勒佛 方繼釋迦而降世"

도1 용문석굴 원경

제2장. 운강석굴의 불교문화

도2 용문석굴 원경

운강석굴과 용문석굴에서 이러한 미륵보살의 출현은 전육불(前六佛)-석가불(釋迦佛)-미륵불(彌勒佛)로 이어지는 것을 나타내고 있는데 용문석굴 고양동의 좌우 불감(左右佛龕) 상단은 석가불이 중단은 미륵교각보살상이 위치하는 점도 미륵이 석가의 계승자라고 하는 사상이 반영된 것이다.

운강석굴은 그 시작이 담요의 사상이 극명하게 드러난 『부법장인연전(付法藏因緣傳)』을 중심으로 법(法)이 영원히 이어지기를 기원했다면, 용문석굴에서는 본격적으로 미륵신앙을 통해 새로운 열망을 담고자 한 것이다. 이러한 미륵에 대한 열정은 단순한 사후에 도솔왕생의 열망뿐 아니라 미륵신앙을 통해 현세에서 미륵불의 현신을 바라는 강한 의지도 함께 투영되었다고 할 수 있다. 이러한 사상은 운강석굴의 담요5굴에도 미륵교각상이 등장하고 있어서 초기부터 미륵사상은 북위의 중요한 불교사상이라고 할 수 있다. 이러한 미륵신앙의 기반에는 현실적이면서 미래에의 강력한 열망을 담고 있는 북위인의 기질을 내포하고 있다고 할 것이다.

용문석굴에서는 무량수불(無量壽佛)에 대한 신앙도 519년 이후 등장하고 있다. 즉 북위 때는 용문석굴에서 무량수불이 8구 정도 밖에 조성되지 않았지만 당대(唐代)에는 110여 구의 아미타상이 조성되고 있는 것은 주목된다. 또한 아미타불이란 명칭보다는 수명을 뜻하는 '무량수(無量壽)'라는 명칭을 사용한 것도 북위적 특성이라고 할 수 있다. 이처럼 무

도3 龍門文物研究所,北京大學考古系 編, 龍門石窟, (文物出版社, 1991, 北京)p.p 283~4 그림 전제

량수불이 당대보다 북위시대에 널리 신앙되지 않았다는 것은 북위의 신앙이 보다 현세적이고 역동적이었음을 잘 알려주고 있다.

이러한 북위 신앙의 특징을 북위에서 석가불의 후계자로서 주목한 미륵불에 대한 신앙적 귀의가 아미타불을 중심으로 한 정토신앙보다 더욱 성행했음을 주목하기도 한다.[2] 그러나 미륵불에 대한 열망은 종교적 귀의의 대상을 단지 정토에서 구하지 않고 생천(生天)을 통해 미륵의 세상에 나고, 현실적으로는 미륵불이 당래하생(當來下生) 하기를 바라는 열망이라고 할 수 있다. 이와 함께 당시의 미륵신앙은 인도 유가유식사상이 북위 당시 중국에 크게 영향을 끼쳤기 때문이라 할 수 있다. 즉 유가유식종파의 주불(主佛)이 미륵불이어서 미륵불상 조성의 성행은 바로 유가유식종파의 성행을 잘 알려주는 것이라 할 수 있다.

이러한 신앙관이 널리 나타나는 것은 불교가 이전 시대보다 더 공고히 북위사회에 정착했으며, 그 내용이 석굴조성으로 이어지는 것을 잘 알 수 있다.

1. 용문석굴 개착의 배경

용문석굴은 이전에 개착된 성격과는 약간 다른 양상에서 시작한다. 운강석굴이 북위황실의 국가불교화의 전례를 보여주는 것에 비해 용문석굴은 북위불교의 발전양상을 유지하려는 의도를 지닌다고 할 수 있다.

이것은 북위황실의 낙양천도 이후 그에 따른 국가사원의 건립의 필요에 따라 영녕사(永寧寺)의 건립이 기획되었으며, 이것은 희평 원년(516)에 영태후(靈太后)에 의해 완성되었다. 그 이전에 효문제는 문명황태후의 추선(追善)을 위해 보덕사(報德寺)를 건립했다.[3] 평성의 보덕사를 그대로 낙양에 옮기기 위해서였으며, 평성의 불교문화를 옮김으로써 북인(北人)들의 정신적인 의지처를 안정시키기 위해서였다.

---

2 塚本善隆, 앞의 책, pp.592~593
3 양현지, 앞의 책,

쓰가모토교수는 이에 관해 당시 북위 평성문화의 대표는 불교문화였다고 보고 있다. 이러한 불교의 발전은 폐불 이후 등장한 정치저·사업저 수완을 지닌 담요에 의해 북위왕실의 적극적 후원을 받으며 성장했으며, 급속한 발전으로 당시 수도였던 평성의 불교 발전 양상이 성세를 이루었다고 보고 있다. 특히 평성 영녕사(永寧寺)의 7층탑이나 황구사(皇舅寺)의 위용, 운강석굴의 장엄함은 세상에 더할 나위 없이 장려한 것이었다. 이러한 북위 평성의 불교를 낙양에 이전하는 것은 봉불의 감정을 새로운 수도로 이전하는 것이 북위왕실에 있어서 매우 필요한 정책이었다고 보고 있다.[4] 따라서 낙양 중심에 국립사찰인 영녕사를 이전하는 일과 교외에 국가불교를 상징하던 운강석굴을 닮은 석굴을 조성하는 일은 매우 중요한 사업이라고 볼 수 있다.

용문석굴의 조영이 정식으로 시작된 것은 선무제 즉위 해인 경명 원년(500)이었는데, 이미 효문제가 낙양으로 천도한 494년경부터 조영은 진행되고 있었다. 이것은 현존하는 기년조상기(紀年造像記) 가운데 가장 오래 된 것이 태화 19년(495)의 것이라는 점에서 명백하다.[5] 이러한 개착시기상의 배경으로 볼 때도 북위황실이 평성의 불교전통을 낙양에서 꽃피우려고 한 의도가 명백하게 드러난다고 할 수 있다.

용문석굴의 개착은 단순한 배경을 가진 것이 아닌 것으로 보인다. 용문석굴의 개착은 각각의 시기별로 정치적인 역학관계와 전개과정에 따라 굴이 개착되기도 하고 중단되는 부침을 겪고 있다.

용문석굴 개착은 「석로지」에 따르면

> 경명(景明) 초(500)에 대장추경(大長秋卿)인 백정(白整)에게 조칙을 내려, 대
> 동(大同)의 영엄사 석굴(靈巖寺 石窟)에 준해서 낙양의 남쪽 이궐산(伊闕山)

---

4 塚本善隆, 위의 책, pp.390~392.
5 같은 책, p. 371.

제2장. 운강석굴의 불교문화

에 효문제와 그 황후 문소황태후(文昭皇太后)를 위해 석굴 2곳을 조영하게 했다. 석굴은 처음에는 지면에서 석굴 정상까지 310척으로 계획했었지만, 정시(正始) 2년(505)에 산을 파낸것이 230척이 되었다. 대장추경(大長秋卿) 왕질(王質)은 그것이 너무 높아 노동력을 다 소비해도 완성하기 힘들다고 생각하여 아래로 옮겨 평지에서 높이 100척, 남북으로 140척의 석굴로 만들 것을 요청했다. 영평년간(508~511)에 중윤(中尹) 유등(劉騰)이 상소를 올려 선무제를 위해 다시 석굴 1개를 조성하여 3곳의 석굴이 완성되었다. 경명 원년(500)에서 정광 4년 6월까지의 비용은 802,366인분(人分)의 노동력에 상당했다.[6]

고 기록하고 있다. 이 기록은 빈양동(賓陽洞)에 관한 기사이다. 효문제의 낙양천도 이후 용문석굴에서는 개착이 시작되었지만 국가적 입장에서 공식적으로 개착이 있었던 것은 빈양동이 최초였다. 빈양동 석굴 개착과정의 기사를 보면 이전 시대로부터 내려오는 추선공양(追善供養)의 의미가 담겨 있다. 선무제의 부친인 효문제와 효문제의 부인을 위해 개착을 했다는 것을 볼 때 이러한 의미를 살필 수 있다. 하지만 단순한 추선공양적인 의미를 넘어 현 황실의 황제를 위해 석굴을 개착하였다는 기사로 볼 때 북위석굴 개착을 단순한 추선공양적 의미로 파악하는 것은 옳지 않다. 이러한 것은 북위의 '황즉불(皇卽佛)'사상이 지속적으로 이어져 내려오는 것이다. 추선의 이면에는 앞서 말한 바와 같이 북위황실에 의한 강력한 국가 통제하의 불교교단 유지정책과도 연관이 있다.

낙양천도 이후의 개착과정을 살펴 보건대 용문석굴 개착의 배경은 다음과 같이 정리할 수 있을 것이다.

---

6 『魏書』卷114, 志 第20,「釋老志」 "景明初 世宗詔大長執卿白整 准代京靈岩寺石窟 于洛南伊闕山 爲高祖 文昭皇太后營石鑛二所 初建之始 窟頂去地三百長 至正始二年 始出斬山二十三丈 至大長秋卿王質 謂斬山太高 費工難就 妻求下移就平 去地百尺 南北百四十尺 永平中 中尹劉騰妻爲世宗復造石窟─ 凡爲三所 從景明元年至正光四年六月 已前 用工八十萬二千三百六十六.

첫 번째, 천도 이후에 용문석굴과 같이 대규모의 석굴사원을 건립함으로써 북위불교의 전통적인 흐름을 이으려 한 것으로 보인다. 북위불교가 급격하게 발전한 것은 양주(凉州)의 불교를 받아들이면서 부터이다. 양주지방의 불교는 선정을 중시한 불교 전통이었으며, 이러한 선정수행의 공간으로 석굴에서 수행을 하였다. 석굴은 양주지방을 거쳐 북위시대에 북 중국 전역으로 널리 퍼지게 되었다. 이러한 일련의 과정 속에서 용문석굴의 개착 배경을 정리 할 수 있다.

두 번째는 북위의 천도과정과 연관하여 북위의 수도 이전은 안정화의 과정 속에서 나타났다는 것이다. 북위의 수도가 평성(平城)에 있었을 때 많은 석굴을 개착하였다. 이것은 운강석굴, 녹야원 석굴 등의 형태로 나타나는데 북위불교예술의 중요한 특징이다. 따라서 선무제가 지시한 것처럼 운강석굴과 같은 석굴을 개착할 필요성을 느꼈으며 이것은 평성에서부터 수평적 문화이전의 과정이라고 볼 수 있다. 즉 북위의 국립사찰이었던 영녕사의 이전과 마찬가지로 북위의 국가적 석굴이었던 운강석굴의 낙양 이전을 추진한 것이며, 이것은 북쪽으로부터 이주한 북인들의 마음을 잡고 국가발전을 이루기 위한 시도의 일환이라고 볼 수 있다.

세 번째는 북위의 문화 수준의 발전을 들 수 있다. 물론 운강석굴도 2기부터는 한족화된 복장이나 얼굴을 채용한 화화양식의 전개를 통하여 북위불교예술 특유의 저력을 보였지만 이러한 저력을 한족의 중심지에 본격적으로 펼치게 된 것이다. 이에 따라 보다 한족화되고, 보다 양식적으로 발전한 북위의 화화양식의 불상이 본격적으로 낙양지역에 펼쳐지게 된다. 이를 통하여 북위는 한화된 왕조로서의 정통성을 확보 할 수 있었던 것으로 보인다.

2. 용문석굴의 변화

용문석굴의 개착은 북위의 낙양천도 이후 바로 시작된 것으로 보인다. 용문석굴이 개착된 시기별로 정리해 보자면, 쑤바이교수는 제1단계를 효문제, 선무제시기로 보고 있다. 이 시기에 고양동(高陽洞), 빈양중동(賓陽中洞), 연화동(蓮花洞)의 굴들이 개착되어졌다.

제2단계는 호태후시기로서 화소동(火燒洞), 자향동(慈香洞), 위자동(魏字洞), 보태동(普泰洞)등이 이 시기에 개착된 굴이다. 제3단계는 효창(孝昌) 이후의 시기로 북위의 혼란이 시작된 때이다. 이때에 노동(路洞)등 중대형굴 1개, 중형굴 2개, 소형굴 1개등이 개착된 것으로 보고 있다.[7]

또 온옥성(溫玉成)은 제1기를 493년에서 499년까지로 보고 있는데 이 시기는 대형굴은 완성되지 않고 소형불감이 제작되는 시기로 보고 있다. 제2기는 500~510년까지로 비로서 용문석굴의 모양이 갖추어지고 있는 시기로 고양동의 정면 벽의 3대상(大像)이나 8대감(大龕)이 완성되는 시기로 보고 있다. 제3기는 용문석굴의 발전기로 511년~517년 사이에 연화동, 빈양중동, 화소동등의 화려한 용문문화가 꽃피던 시기로 보고 있다. 제4기는 번영기로 518년~534년까지의 시기에 최대의 석굴이 완성되어졌다. 자향동(慈香洞), 보태동(普泰洞), 황보동(皇甫洞), 노동(路洞)이 완성되어졌고 약방동(藥房洞), 조객사동(趙客師洞), 당자동(唐字洞)등이 개착되는 시기다. 제5기는 쇠퇴기로 변주동(卞州洞)만이 완성되었는데 535년~580년까지의 시기로 보고 있다.[8]

북위시대에 개착된 굴 수는 25기에 달하며 조상 숫자는 206구[9]에 달한다. 불상의 주제도 석가불상이 43, 미륵불이 35, 다보불(多寶佛)이 3, 정광불(正光佛)이 2, 무량수불이 8, 관세음보살 19등으로 이루어져 있다.

이러한 용문석굴에 관한 황실의 관심을 알 수 있는 사서상의 기록도 보이는데, 앞서 언급한 경명초년(500년)의 기록과 희평2년(517년) 숙종기에 보이는 호태후의 용문석굴 방문기사[10] 519년 선무제의 용문방문 기사[11]등이 등장하고 있다. 또한 용문석굴에는 조상기

7 1) 龍門文物研究所, 北京大學考古系 編, 龍門石窟, (文物出版社, 1991, 北京), pp.226~229.
2) 동국대학교 편, 『洛陽 鞏縣 龍門石窟-실크로드문화』(한·언,1993.9)

8 같은 책, p. 224.

9 塚本善隆, 앞의 책, p.380.

10 『魏書』卷9, 「帝紀」第9, 肅宗孝明帝 "乙卯 皇太后幸伊闕石窟寺 即日還宮".

11 『魏書』卷8, 「帝紀」第8, 世宗宣武帝 "己亥 行幸伊闕".

가 많이 전해지고 있는데 이러한 조상기를 통해 용문석굴 발전양상을 살필 수 있다.

용문석굴은 북위의 수도 천도 전후 비교적 이른 시기에 개착되기 시작했다. 용문석굴은 국가적 후원 하에서 개착되기 시작했는데 국가의 후원과 다양한 기진자들의 후원에 힘입어 화려한 북위불교문화를 꽃피우고 있다고 할 수 있다. 특히 511년에서 534년 사이에 약 20년간 북위 용문양식을 대표하는 석굴들이 개착되고 완성되어지는 양상을 보이고 있다. 이러한 용문석굴의 발전은 당시 북위불교문화가 완성되어지고 북위가 완전히 불교국가로 자리 잡는 시기와 일치하고 있다.

북위의 집권자들이 초기에서부터 견지해온 도불(道佛) 병용정책은 북위의 낙양천도 이후 거의 무의미해지며 이 시기에 들어서면 북위는 상하 모두 불교적 문화에 침잠해 들어간 것으로 보인다. 이러한 북위불교의 발전의 양상이 여기에 녹아 있는 것이다. 또한 북위왕실이 낙양천도 이후 지속적으로 추진해온 한화정책의 증거도 이 용문석굴 조상양식 속에 녹아들며, 북위불교가 이러한 한화정책을 수행하는 중요한 실천자임을 또한 보여주고 있는 것이다.

도4 용문석굴 고양동 불좌상(493-527)

도5 용문석굴 빈양동

제2장. 운강석굴의 불교문화

도6 용문석굴 빈양중동

도7 용문석굴 빈양중동 석불좌상

도8 용문석굴 빈양중동 금강역사상

도9 용문석굴 빈양북동 불좌상

도10 용문석굴 빈양북동

(1) 고양동(高陽洞)

도12 용문석굴 고양동 본존불좌상

고양동은 용문석굴 가운데 가장 먼저 개착된 굴이다. 비구 혜성(慧成) 조상기에 의하면 태화 22년(498)년에 이미 시작되었다. 굴의 내부 길이는 13m, 폭은 6.75m로 평면은 마제형(馬蹄形)으로 되어 있다.[12] 높이가 10m 정도 되는 큰 굴인데 정벽에는 삼존불이 새겨져 있고, 좌우 벽의 상·중·하층의 감실에 불상들이 새겨져 있다. 이 외에도 굴 전체에는 무수한 소형감에 상들이 조각되어 있다. 이 고양동의 조상기를 통해 이 굴의 조영이 복위 조정 주변의 귀족·고관·군인·승려 등의 기진에 의한 것이다. 고양동 천정과 벽에 크고 작은 감들이 무수히 개착되어 있으며 감수는 1,350기 이상이다.[13]

위층의 여러 개 대형 감에는 각각 한 구씩 불좌상이 조각되어 있고 그 가운데 7구는 대의를 양주식(凉州式) 편단우견 형식으로 걸쳤다. 이것은 운강 2기 전반까지 크게 유행했던 착의 형식이다. 또 대형 감실 주위에 설치된 기둥과 공양자등의 조각 일부는 운강석굴과 형식·양식 면에서 유사한 부분이 많다. 그러나 북위 용문양식의 한 전형인 고양동의 양식이 반드시 운강양식을 계승한 것은 아니다. 운강석굴이 서방전통을 이어 받은 육체적이고 사실적인 질감이 있다면, 용

도13 고양동 감실

---

12 水野清一·長廣敏雄, 『龍門石窟の研究』(東京, 座右寶刊行會, 1941) p. 88
13 文明大, 「龍門石窟의 形式과 佛像樣式의 考察」 『洛陽鞏縣·龍門石窟』 (한·언 1993.9) pp.254~261

문석굴은 선각표현이 특징적이라고 볼 수 있다. 이것은 하남(河南) 조상의 특징을 잘 보여주는 것이라고 할 수 있다.[14]

여덟 개의 대형 감에 안치된 상들이 아직 두부를 갖추고 있었을 때 정벽 본존상의 얼굴을 보면, 그 턱이 좁고 얼굴이 갸름한 용모는 운강 상의 각이 둥근 방형의 얼굴과는 전혀 다르다. 또 여덟 개 대형 감의 상들과 정벽의 대의(大衣) 주름은 간격이 좁고 섬세하여 부드러운 천의 질감이 잘 나타나고 있다. 보살상의 관대(冠帶)는 일단 비스듬히 위로 올라갔다가 기울어져 부자연스럽게 뒤집어지고 있는데, 이런 것들도 역시 운강 상에는 보이지 않는 특징이다.

이처럼 선적 아름다움을 즐겨 표현하는 경향은 북방으로부터 낙양으로 옮겨와 더욱 더 한족 문화에 경도되어 갔던 시주자 귀족들의 기호에 따른 것으로 보기도 한다.[15]

고양동은 평면이 장방형으로 폭 6.9m, 깊이 13.6m, 높이 31.1m이다. 고양동은 처음 개착된 후로 두 차례에 걸쳐 확장되어 지금의 모습에 이르렀다.[16]

정벽은 효문제가 조상한 삼존상과 남북 양 측벽의 가지런히 구획된 8개의 대감(大龕)은 1차 확장 때 만든 것이며, 시기는 태화 17년 이후에서 경명(景明) 4년 이전(493년~503년)이다.

주존 석가모니불은 앉은 높이가 6.12m로 방형대좌 위에 결가부좌를 하고 있다. 대좌의 높이는 4.8m이다. (만약 대좌 아래에 2보살의 연화좌 아래쪽부터 계산하면 높이는 1.7m로 즉, 주존의 전체높이는7.82m이다.) 불상은 높은 육계를 가지고 있으며, 얼굴은 길고 둥글며 청수(淸秀)하나 마른 것은 아니다. 포의박대식(褒衣博帶式)의 가사를 이중착의 방식으로 입고 있으며, 수인은 선정인을 맺고 있다. 가사의 늘어진 의문은 층단을 이루고 있다. 원형의 두광(頭光)과 배 모양의 신광(身光)을 하고 있으며, 두광은 다시 내외 세 겹

---

14 石松日奈子, 앞의 책, p.161

15 文明大, 앞책(1993) 구노미키, 『중국의 불교미술』 최성은 옮김(서울, 시공사, 2001) pp. 43~44.

16 水野淸一·長廣敏雄, 앞의 책, pp. 105~107

으로 나뉘어 있다. 안쪽에는 연화문이 있고 중간에 화불이 있다. 화불은 모두 21구로 바깥 테두리에는 비천이 조각되어 있다. 각 테두리는 연주문으로 구획하고 있다. 주형신광의 화염문은 바로 굴 천정에까지 닿아 있다.[17]

협시보살 중 우측(남쪽)보살은 크기가 3.9m로, 머리에 화만보관(花蔓寶冠)을 쓰고 보회(寶繪)는 비스듬히 위를 향한 다음 다시 아래로 꺾여 내려져 있다. 얼굴은 청수하나 마르지는 않았다. 눈썹과 눈은 미소를 짓고 있으며, 코와 입은 약간 부서져 있다. 목에는 목걸이를 하였는데 보주와 옥벽(玉璧)을 매달았다. 양 어깨 위에는 모두 원형의 장식물이 있으며, 영락과 연결되어 있다. 상체에는 아무것도 걸치지 않았고, 하체에는 군의를 착용하고 있다. 의습은 매우 밀집되어 있으며 부채꼴 모양을 하고 있다. 천의는 양어깨로부터 비스듬히 흘러내려 배 안의 원형모양에서 X자형으로 교차시켜 아래로 내려뜨린 다음 다시 위로 올려 팔을 감싸며 흘러내리게 하였다. 왼손은 들어 가슴 앞에 두었고 오른손에 팔찌를 끼고 있다. 복판연화좌 위에 앉아 있으며 복숭아 모양의 두광을 하고 있다.[18]

좌측 보살은 우측보살과 거의 같은데 다만 왼손에 팔찌를 낀 채 군지(軍持;정병)를 들고 있으며, 오른손은 가슴 앞에 두고 있다. 정병 아래쪽의 의문은 정시 3년(506년)의 소형 감실이 개착되어 있어 보살의 옷 무늬를 훼손시키고 있다. 이는 곧 보살상의 조성년대가 이 506년보다 이른 시기라는 것을 증명해 준다. 정벽의 불삼존상과 어우러져 있는 남벽 상층의 4대감과 북벽 상층의 4대감은 크기가 모두 비슷하며, 위치가 대칭되고 배열도 가지런하며 조상내용은 모두 선정인(禪定印)의 석가모니불과 2보살상이다.[19] 이처럼 고양동의 조상은 특히 감실조상이 유명하며 감실조상에 관해서는 온옥성의 글에 잘 정리되어 있다.

비구 법생(法生)이 효문제나 북해왕모자(北海王母子)를 위해 만든 감은 남벽 동쪽으로

---

17 溫玉成, 앞의 책, p.136
18 같은 책, p.136
19 같은 책, p.136

부터 두 번째 감이다. 이 감은 하나의 첨공감으로, 첨공 가운데에 5구의 좌불과 6구의 협시보살을 조각해 두었다. 첨공 아래쪽에 두 마리의 용이 머리를 치커들고 용꼬리는 서로 합하여 원공을 형성하고 있다. 용머리는 큰 대감의 양쪽에 약간 돌출한 팔각연주(八角蓮柱) 위에 조각되어 있다. 감실 안에는 1불 2보살이 조각되어 있다. 불상은 편평한 대좌에 앉아 있으며 평대(平台) 위쪽 부분에 인동문(忍冬紋)이 조각 되어 있다. 가운데에 조상기가 새겨져 있으며 좌우에는 공양인 행렬이 조각되어 있다. 남자 공양인 행렬은 왼쪽에 위치하며 앞의 세 사람은 비구로, 각명(刻銘)에 '비구승도(比丘僧道)', '비구승융(比丘僧隆)'이라 쓰여 있다. 네 번째 사람은 머리에 높은 관을 쓰고, 그 곁에 개(蓋)와 부채(扇)을 든 시자(侍者)가 배치되어 있다. 각명에 '불제자북해왕원복영(佛弟子北海王元伏榮)'이라 되어 있다. 다섯 번째 사람은 '청신사원선의(淸信士元善意)', 여섯 번째 사람은 '청신사원보의(淸信士元寶意)'라 새겨져 있다. 여자 공양인 행렬은 오른쪽에 위치하고 있는데, 앞에서 3명의 비구니가 인도하며 그 뒤를 2명의 귀부인과 시녀가 따르고 있다. 각명에 첫 번째 사람은 '비구니명혜(比丘尼明慧)', 두 번째 사람은 '비구니법진(比丘尼法眞)'으로 기록되어 있으며 나머지는 판독할 수 없다. 아마도 북해왕의 모친과 부인일 것이다. 이 감의 완공시기는 경명 4년(503년) 12월 1일이다.

손도무(孫道務) 읍사조상대감(邑社造像大龕)은 법생의 대감 서편에 위치하며, 이것 역시 첨공감 형태를 하고 있다. 첨공 안에는 상하 양층으로 구분되어 있으며, 상층에는 연화와 비천 4구가 조각되어 있고, 하층에는 좌불 11구가 조각되어 있다. 또 그 사이에는 공양천인이 조각되어 있다. 대감 좌우에 야차가 받치고 있는 팔각주의 주두는 복련으로 처리되었고, 그 위에 두 마리의 용이 머리를 들고 있는 원형감미가 있다. 감 내에는 1불, 2보살이 조각되어 있다. 평대의 정중앙에 마니보주가 조각되어 있고 두 마리의 용이 받들고 있다. 좌우에 각각 꿇어 앉은 두 명의 공양인이 있으며 그 밖으로 2사자상이 조각되어 있다. 이 감은 읍주(邑主) 중산대부(中散大夫) 영양태수(滎陽太守) 손수무(孫邃務)와 영원장군(寧遠將軍) 예천태수(潁川太守) 안성령(安城令) 위(衛) 백독(白犢)을 우두머리로 하는 읍사의 조상이다. 읍사 중에 주요인물로 신성현(新城縣) 공조(功曹) 손추생(孫秋生), 유기조(劉起祖) 등 모두 200인이 있으며, 조상 완성시기는 경명 3년(502년) 5월 27일이다. 고증에 의하면, 처음 개착되기 시작한 시기는 대략 태화 17년(493년)으로 이는 용문석굴이 처음 개착되던 시기이다.

북벽 동측 첫 번째 감은 비구 혜성(慧成)이 돌아간 아버지 사지절 광록대부(使持節 光祿大夫) 낙주자사(洛州刺史) 시평공(始平公)을 위하여 조상한 것으로, 완공은 태화 22년(498) 9월 14일이다. 불감의 형태는 첨공감(尖孔龕)으로 첨공에 꽃으로 동자 11존을 묶었으며 그 사이에 연화가 조각되어 있다. 그 아래에 두 마리의 용이 머리를 들어 원공감미를 이루고 용머리는 방형 석조대좌 위에 서있다. 또 그 아래에서 4팔 4비(臂)의 야차가 그것을 받들고 있다. 감 내의 주존은 석가모니불좌상으로 편단우견형식의 가사를 걸쳤으나 오른쪽 어깨 일부를 살짝 빗고 있으며, 의습의 가장자리가 살짝 접혀있다. 안에 승각기 또는 편삼을 착용하고 가장자리 부분에 연주문을 새겨 놓았다. 의문은 평행밀집선으로 천직평계제(淺直平階梯) 도법(刀法)을 사용하였다.

두광은 원형으로 내외 3층으로 구분되어 있으며, 내층에는 연화문, 중층에는 간달바(干達婆)와 긴나라(緊那羅) 9존이, 외층에는 간달바(干達婆), 긴나라(緊那羅)등 12구가 조각되어 있다. 층간(層間)은 연주문으로 장식하여 구분하고 있다. 신광은 주형으로 부조된 화염문 위에 다시 음각선으로 화염문양을 새겼다. 그 밖으로 기악인 9존이 있으며 기악인이 사용하는 악기로는 세요고(細腰鼓), 필표(篳篥), 비파(琵琶), 배소(排簫), 횡적(橫笛) 등이 있다.

좌불 좌우로 각각 2보살이 조각되어 있다. 불상이 앉아 있는 좌대 가장자리에 연속적으로 원권(圓圈) 약 20여 개가 조각되어 있으며, 안에 연화와 조수(鳥獸) 문양이 조각되어 있고 좌대 아래 정중앙에 두 마리 용이 마니보주를 둘러싸고 있다. 좌우 가장 바깥쪽에 각각 2인의 공양자가 꿇어 앉아 있으며, 모두 호복을 착용하고 있다. 이 감의 조상비는 대감의 좌측(동측)에 있으며 바닥을 깎아내고 양각으로 처리하였는데, 이 조상비의 글씨는 유명한 용문 20품 중의 하나에 속한다.

　육혼현(陸渾縣) 공조(功曹) 위령장(魏靈藏) 등이 조성한 대감은 혜성(慧成)의 감실 서편에 위치하며, 감의 형태와 내용은 대체로 비슷하다. 주목할 만한 것은 석가불 신광 좌우에 설법도와 대화를 경청하는 여러 비구가 부조되어 있다는 것이다.

　읍주(邑主) 구지(仇池) 양대안(楊大眼)이 효문황제를 위하여 만든 대감 위령장감(魏靈藏龕) 서편에 있다. 조상에서 특기할 만한 것은 불상의 신광 좌우에 음각으로 십대제자 반신상을 새긴 것이며, 좌우에 각각 5구씩 배치되어 있다. 기타 형식은 위령장감과 비슷하다. 조상기에 의하면, 이 감실의 조성시기는 정시원년(504년) 정월에 양대안이 동주(東州) 반만(反蠻) 번계안(樊季安)을 대파하고 낙양으로 회군한 이후일 가능성이 크다. 석굴 안의 효문제를 위하여 만든 3대상을 보고 조상하였던 것이다.

　고양동 남북벽면의 위에서 두 번째 열의 8개의 대감은 정시말년(507년경)에 시작되었던 2차 확장 때 이루어진 것이다. 열개의 감실 아래에 따로 대응되는 8개의 감실을 개착하기 위하여 원래 벽면을 밖으로 약 10에서 20cm 돌출되게 깎았으며 벽면은 잘 정비되어 있고 눈에 띈다. 두번째 열의 감실은 분명한 공통점을 가지고 있다.

　첫째, 모두 궤형 천정의 록정감(盝頂龕)이나 첨공록정감을 채용하고, 안에 교각미륵상이 조각되어 있다.

　둘째, 2제자·2보살을 협시로 하는 오존형식의 배치구도와 유마문수설법도를 채용하고 있다는 것이다. 7감의 주존은 미륵보살로 머리에 높은 보관을 쓰고 신체는 긴 편으로, 오른손은 가슴 앞으로 들어 올리고 왼손은 무릎을 어루만지고 있다. 교각의 자세를 하고 있으며 두 마리의 사자가 무릎 곁에서 움츠리고 있다. 보살의 상체에는 아무것도 걸치지 않았고, 목에는 복숭아형의 목걸이를 하고 있다. 천의는 양 어깨로 부터 흘러내려 배 앞에서 서로 교차하며 다시 무릎 위를 감싸고 있다.

　8대감 중에 조상기의 고찰이 가능한 것은 북벽 세번째 감(양대안감의 바로 아래)이다. 이 감의 동자가 화승(華繩)을 끌어당기는 모습이 조각된 록정감미(盝頂龕楣)와 감실 아래

조상기는 1936년 4월 이후에 파괴되었다. 조사에 의하면, 이것은 안정왕(安定王) 원섭(元燮)이 영평 4년(511) 10월 16일에 '돌아가신 조부와 태비 돌아가신 태부정왕 장비 등을 위하여 조성했다.(爲亡祖, 親太妃, 亡考太傅靜王, 亡跳蔣妃敬造)'고 한다. 미루어 보건대, 안정왕 원섭(~515년)의 조부는 탁발황(拓拔晃)이며, 조모는 맹초고(孟椒雇)이다. 부친 원휴(元休;~494년)는 죽은 후, "정왕(靖王)"에 추중되었다. 모친은 장비(蔣妃)이다. 원휴의 장자 원안(元安)은 일찍 죽었고 둘째 아들 원섭(元燮)이 왕위를 계승하고 태중태부(太中大夫) 제정로장장 화주자사(除柾虜將章 華州刺史)가 되었는데, 후에 유주자사(幽州刺史)가 되었다. 그의 부인은 고구려인이다.

두 번째 조상활동에 의해 8개 대감은 대체로 영평년간(508년~512년)에 완성되었으며, 이로부터 고양동의 기본면모를 갖추게 되었다. 세 번째 조상활동은 벽면 가장 아래쪽 부분에서 이루어졌는데 그 시기는 대략 연창 이후로 계획이 미완성된 채 중지되었다.

많은 수의 조상감 중에서 공덕주 신분에 따라 분석해 보면 종실, 백관, 승니, 읍사조상 등 4개의 유형으로 나눌 수 있다. 고양동의 종실조상으로는 북해왕 원상, 안정왕 원섭 이외에 제군왕(齋郡王) 원우(元祐;488년~519년), 광천왕(廣川王) 하략간비(賀略汗妃) 후씨(侯氏), 장락왕(長樂王) 구목능량(丘穆陵亮;451년~502년) 부인 위지씨(尉遲氏;454년~519년) 등의 조상감이 있다.

신하들 중 조상자로는 도선권구유격교위사마(都繕闕口游激校尉司馬) 해백달(解伯達), 전남양태수호군장사운탕백(前南陽太守護軍長史雲湯伯) 등장유(鄧長猷), 이부령사(吏部令史) 유지명(劉智明), 횡야장군(橫野將軍) 오안(吳安), 하남령(河南令) 위쌍시(魏雙市), 전무위장군하주대중정사지절도독분주제군사평북장군분주자사(前武衛將軍夏州大中正使持節都督汾州諸軍事平北將軍汾州刺史) 혁련유(赫連儒) 등이 유명하다.

고양동 중 승려에 의한 조상은 대략 30%를 차지하고 있다. 비구 혜감(惠感), 혜합(惠合), 혜영(慧榮) 등이 조상에 참여하고 있다. 비구 혜락(慧樂)은 "今率貧資, 以申前志, 僅造像一區"하였다 하며, 청주(淸州) 도천사(桃泉寺) 도주(道朱)는 "미륵상 1구와 7불 2보살을 조성했다.(以鉢余造彌勒像一軀幷七佛二菩薩, 衆容俱具)"고 하였고, 비구니 법문(法文), 법릉(法隆) 등은 "개인 재산을 다 바쳐 미륵상 1구를 자신을 위해서 조성했다.(覺非常世, 深發誠願, 割竭私財, 各爲己身敬造彌勒像一區)"고 하였다.[20]

조상기 중에 보이는 사명으로는 대통사(大統寺), 도천사(桃泉寺), 선화니사(仙和尼寺), 묘음니사(妙音尼寺) 등이 있으며, 대통사는 『낙양가람기』에도 보이는데, 낙양성 남쪽 이민리(利民里)에 위치한다.[21] 고양동 내의 읍사조상(邑寺造像)은 비교적 특별한 것이다. 읍사 책임자로 등장하는데, 예커데 읍주(邑主) 항지(沆池) 양대안(楊大眼), 읍주 중산대부 영변태수 손도무 등이다. 읍사조상의 경우 읍사참여자의 수는 일정하지가 않으며 적은 것은 12인 이고, 많은 것은 200인이나 된다.

고양동에는 총 58종의 조상기가 존재하는데 왕들의 조상기가 7, 승려 11, 비구니 7, 읍사 계열 등의 집단조상기가 16, 관직명이 있는 경우가 11로 42개의 조상기의 숫자로 보아도 고양동 시주자의 주요계층을 확인할 수 있다. 즉 북위사회의 상류층을 중심으로 조상 활동이 일어난 것을 확인할 수 있다. 이들의 신앙적 특성은 불상의 종류를 통해서 살펴 볼 수 있다.

조상기와 관련해 조성된 숫자는 석가불 20구, 미륵불 25구, 정광불 2구, 다보불 1구의 숫자구성을 가지고 있다. 이러한 불상의 숫자를 볼때 석가불과 미륵불이 석굴 개착에 있어서 중요한 신앙대상이 되고 있는 것을 알 수 있다.

고양동의 조상기 중 두드러지는 석가, 미륵, 천불, 이불병좌상의 도상적 특징을 묶을 수 있는 사상은 법화경의 사상이다. 『묘법연화경(妙法華經)』 권7 「보현보살권발품(普賢菩

---

20 같은 책, p.139
21 백제 수도 공주에도 대통사가 있는데 이는 남조 양무제의 조성 사찰인 대통사를 모델로 한 것이다.

212

제2장. 운강석굴의 불교문화

薩勸發品)」22에

> 만일 받아 지니고 읽고 외우고 뜻을 알면 이 사람은 목숨이 마칠 때에 천불(千
> 佛)이 손을 잡아 주시어 두렵지 않게 하고 악취에 떨어지지도 않게 하고 곧 도
> 솔천상의 미륵보살 계신데 가서, 미륵보살이 32상의 훌륭한 상호를 갖추고 대
> 보살들에게 둘러싸여 백천만억 천녀(天女) 권속들이 있는 곳에 왕생하게 될
> 것입니다.

이러한 법화사상은 당시 널리 유포되었다. 묘법연화경의 역출자는 구마라집으로서 라
집에 대한 각별한 관심은 앞서 전술한바 있다. 이러한 법화경의 구절이 고양동 조상기 안
에 고스란히 드러나고 있다.

위령장등조석가상기(魏靈藏等造釋迦像記)에 '목숨이 다한 뒤 날아올라 천명의 성인
을 만나리라.(命終之後 飛逢千聖)'이라는 구절은 법화경의 구절인 '목숨이 다한 뒤 천불이
손을 내밀어 구원해 준다.(命終爲千佛授手)'의 내용과 거의 일치하고 있다. 또한『법화경』
「견보탑품」의 석가·다보에 대한 기록이 이불병좌상의 조상으로 나타나고 있다.

또한 고양동 조상에 있어서『유마경』상에서 등장하는 미륵보살에게 수기를 내리는 부
분23이 등장하는 것도 고양동 조상에 있어서 중요한 소재가 된다고 할 것이다.

용문석굴에서 가장 오래된 고양동은 효문제~선무제에 이르는 시기에 낙양지역 상층사
회 불교의 현실을 보여주는 매우 중요한 굴이다.24 쓰가모토는 고양동의 조성에 법화경의

---

22 『妙法蓮華經』(大正藏 권7, p.61) "若有人受持讀誦解其義趣 是人命終爲千佛授手 令不恐怖不墮惡趣 即往兜率天上彌勒菩薩
所 彌勒菩薩有三十二相 大菩薩眾所共圍繞 有百千萬億天女眷屬 而於中生 有如是等功德利益 是故智者應當一心自書若使
人書 受持讀誦正憶念如說修行 "

23 『維摩詰所說經』囑累品第十四 (大正藏 권14, p.557) "於是佛告彌勒菩薩言 彌勒 我今以是無量億阿僧祇劫所集阿耨多羅三藐
三菩提法 付囑於汝 如是輩經於佛滅後末世之中 汝等當以神力廣宣流布於閻浮提無令斷絕 ".

24 塚本善隆, 앞의 책, p.513.

사상이 존재하고 있음을 밝히고 있는데[25], 아울러『유마경』의 사상도 활용되었을 것으로 추정하고 있다. 이것은 당시 유행하던『법화경』의 사상과 이불병좌상(二佛並坐像)의 법화 사상적인 기반 그리고 조상기상에서『법화경』의 내용 등이 고스란히 인용되고 있는 점을 들어 그 사상적 연원을 찾고 있는 것이 주목된다.

이와 함께 법화경 사상이 유가유식사상과 융합하여 나타난 현상도 있을 것으로 판단된다.

(2) 빈양동(賓陽洞)

빈양중동은 경명년간 초(500-503)에 선무제의 발원으로 거대한 세 개의 굴을 조성하고 자 했으나 조각하기 쉬운 운강석굴의 석질과는 달리 단단한 경질의 돌이어서 완성하지 못 하고, 영평년간(508-511)에 그 규모를 축소하여, 정광4년(523)까지 막대한 비용을 들여 완 성한 굴이 빈양동이다.

이미 앞에서도 인용했다시피 석로지에 의하면

> 경명(景明) 초(500)에 대장추경(大長秋卿)인 백정(白整)에게 조칙을 내려, 대 동의 영암사 석굴에 준해서 낙양의 남쪽 이관산에 효문제와 그 황후 문소황태 후를 위해 석굴 2곳을 조영하게 했다. 석굴은 처음에는 지면에서 석굴 정상까 지 310尺이었지만, 정시 2년(505)에 산을 파내어 23丈(230척)이 되었다. 대장 추경 왕질은 그것이 너무 높아 노동력을 다 소비해도 완성하기 힘들다고 생각 하여 아래로 옮겨 평지에서 높이 100尺, 남북으로 140尺의 석굴로 만들 것을 요청 했다. 영평년간(508~511)에 중윤의 유등이 상주하여 선무제를 위해 다시 석굴 1 개를 조성하여 3곳의 석굴이 완성되었다. 경명 원년(500)에서 정광 4년 6월까 지의 비용은 802,366인분(人分)의 노동력에 상당했다.

---

25 같은 책, p.523~525.

고 기록하고 있다.[26]

이 귀중한 사료를 통해 빈양동 개착에 관한 전모를 알 수 있다.

첫째, 원래 계획했던 석굴은 규모가 상당히 컸는데, 지면에서 굴까지 높이가 310척이라는 것이다. 다만 공정이 어려워 경명 초년에서 정시 2년(500년~505년)까지의 6년 동안 '산을 파 낸 깊이가(斬山) 23장(丈, 230척)'이었을 뿐이라고 했다. '23장'을 파내었다고 한다면 '230척(尺)'이므로, '310척'의 목표와는 80척의 차이가 난다. 다시 공정을 축소한 후에 규모가 '땅으로 부터 100척(33m), 남북 140척(47m)'으로 줄었다고 한다. 계산착오의 주원인은 용문석굴의 암질이 운강석굴에 비해 훨씬 견고하기 때문에 운강의 경우로 계산하여 용문석굴을 개착하는 것은 맞지 않았기 때문이다. 빈양동 천장부분을 살펴 보면, 상방 약 200척(67m)되는 곳에 인공으로 벽면을 개착한 흔적이 확실히 남아 있다. 이것이 바로 최초 6년간의 '참산 23장'을 증명하는 것이다.

둘째, 대장추장 왕질의 주청 이후 규모를 축소하는데 '하이취평(下移就平)'은 바로 산 아래 부분에 하나의 편평한 지대를 기준으로 입면 높이 100척, 폭 140척되는 면적에 개굴 조상한다는 의미이다. 이 공정은 대개 6년간(505년~510년) 진행되었다. 이것이 바로 현재의 빈양삼동의 벽면이다. 실측에 의하면 벽면의 높이는 90척이며 폭은 130척인데 위척(魏尺)으로 환산하면 대략 맞아 떨어진다.

셋째, 영평년간(508-511)에 유등이 주청하여 세종을 위하여 다시 석굴 하나를 더 개착했다. 영평 중에 개산 작업은 대략 마무리되었고 개굴작업이 임박하였다. 정확한 구획을 위하여 유등이 다시 하나의 석굴을 개착하기를 주청하였다. 지금 빈양3동의 통일된 구획과 양식은 이러한 사실을 잘 증명해 주며, 따라서 3굴이 동시에 완성되었던 것을 알 수 있다.

---

26 『魏書』卷114, 志 第20「釋老志」"景明初 世宗詔大長執卿白整 准代京靈岩寺石窟 于洛南伊闕山 爲高祖 文昭皇太后營石鑛二所 初建之 窟頂去地三百長 至正始二年 始出斬山二十三丈 至大長秋卿王質 謂斬山太高 費工難就 妻求下移就平 去地百尺 南北百四十尺 永平中 中尹劉騰妻爲世宗復造石窟一 凡爲三所 從景明元年至正光四年六月 已前 用工八十萬二千三百六十六"

도14 용문석굴 빈양동

넷째, 정광 4년(523년) 6월에 공정이 중지되었는데, 빈양중동만 겨우 완성되었다. '팔십만 이천 삼백 육십육인(用工八十萬二千三百六十六)'의 기록은 자치통감에도 등장한다.[27]

이 빈양3동 3굴은 학자에 따라 여러 설이 제기되고 있다. 프랑스의 샤반은 고양동, 연화동, 위자동을 이 3굴로 보았으며, 일본의 세키노 다다시는 빈양중동이 3굴의 하나이며, 나머지 2굴은 당대에 대노사나상감(大盧舍那像龕)을 개착했을 때 파손되었을 것이라고 추측하였으나 확언하지는 않았다. 일본의 쓰가모토는 비교적 명확하게 빈양3동을 지금의 3굴이라 지적하였다. 유례예(劉汝醴)는 '관우용문삼굴(關于龍門三窟)'의 문장에서 쓰가모토의 설을 증명하였다.[28]

빈양동은 빈양중동, 남동, 북동의 통칭이다. 선무제가 아버지 효문제와 어머니 문소황태후 고씨(高肇女)를 위하여 개착했던 것이 빈양중동(효문제를 위하여 만듦)과 빈양남동(皇太后 高氏를 위하여 만듦)이며, 좌우로 배치하여 중간에 거대한 비석을 새겨 놓고 있다. 선무제를 위하여 개착했던 것이 빈양북동으로 중동의 왼쪽에 위치하고 있다고 볼 수 있다.

---

27 溫玉成, 앞의 책, pp. 140~141. 이하 빈양3동 등 기타 용문석굴의 석조상 논의는 온옥성의 앞 책과 문명대 교수의 앞 책을 주로 인용하였으므로 주는 생략하는 경우가 있으므로 양해 바란다.

28 같은 책, p.141.

빈양중동 외벽의 구도는 아름다우면서도 장중한 편이다. 굴 문 상방에 첨공형 화염문이 있고 정중앙에 한 마리의 짐승머리를 조각하였는데 무엇을 표현한 것인지는 알 수 없다. 공량(拱梁)은 하나의 호랑이형 용 몸으로 조성했고, 용머리는 양측문(兩側門) 기둥 위에서 고개를 치켜들고 있다. 또 문주(門柱) 위쪽은 그리스 이오니아식으로 장식되어 있다. 굴 문 양쪽에 각각 옥형(屋形) 감실이 하나씩 개착되어 있는데 그 안에 금강저(金剛杵)를 든 금강역사상이 조각되어 있다.

중동 굴문은 높이 6.9m, 폭 3.74m, 두께 2.2m이다. 굴 문 바로 위에 두 송이의 연화가 조각되어 있고, 좌우쪽에는 3층으로 구분하여 부조되어 있다. 상층에는 비천이 각각 1구씩 조각되어 있고, 중층에는 공양보살 3구가 각각 조각되어 있으며 하층에는 가장 중요한 내용의 조각이 부조되어 있다. 하층 북측엔 다소 희미하게 되었지만 7째 줄 제석천이 조각되어 있다. 제석천은 머리 하나에 팔이 네 개이고 머리에는 해골 형태의 화염관을 쓰고 몸에는 영락을 걸치고 있다. 왼쪽의 위쪽 손으로 금강저를 잡고 오른쪽 위의 손으로는 삼차극(三叉戟)을 잡고 있다. 왼쪽의 아래쪽 손으로 백불(白拂)을 잡고 오른쪽 아래쪽 손은 이미 파손 되었다. 남쪽의 '대범천(大梵天)'은 3두(頭) 4비(臂)의 몸에는 영락을 걸치고 아래에 전군(戰裙)을 입고 있다. 각 손은 삼차극, 보검, 옥환(玉環), 금강저를 잡고 있다.

굴 평면은 타원형인데 폭 11.4m, 깊이 9.85m, 높이 9.5m로 궁륭형(穹窿形) 천정을 나타내고 있다. 정면 벽에 불오존상(佛五尊像)이 부조되어 있다. 주존인 석가모니불은 수미좌 위에 결가부좌하고 있는데, 좌불의 높이는 6.15m고 대좌의 높이는 3.2m이다.

불상의 머리칼과 육계는 모두 파상형이며 얼굴은 장방형이고 큰 귀는 뺨까지 길게 내리고 있다. 눈썹이 길고 눈이 크며 직선적인 코에 콧망울도 큰 편이다. 입은 작고 입 끝을 약간 위로 올려 미소를 띠고 있다. 목은 가늘고 가슴은 편평하며 어깨는 처졌지만 건장하다. 오른손은 세워 손바닥을 앞을 향하게 하였고, 왼손은 손가락 세 개를 구부린 다음 손바닥을 밖으로 향하게 하여 아래로 내려뜨렸다.[29] 불상의 얼굴은 눈썹의 표현 때문에 비현실적이며 신비하기도 하다. 이 불상은 북위 용문석굴 조각 중 대표작으로 평가된다.[30]

대의 안에 승기지(僧祇支)를 입고 가슴 사이에 띠 매듭이 표현되어 있다. 이 위에는 포의박대식의 대의를 걸친 이중착의를 입고 있다. 의문은 평행밀집선으로 옷자락이 대좌를 덮어 내린 상현좌인데 의문표현이 유려하면서 중첩되게 표현되어 있다.[31] 옷은 매우 복잡하게 입고 있는데, 아래에서부터 승기지(左肩을 덮은 내의), 또 어깨를 덮은 의복(중국 사대부가 착용한 내의의 일종), 운강 제6굴식 가사, 양주식 편단우견 가사 순으로 입고 있다.

방형대좌 앞 좌우에는 각각 누워 있는 사자 1마리가 조각되어 있다. 뒷발은 움츠렸고 가슴 털은 날개같이 양쪽으로 펼쳐져 있다. 왼쪽의 가섭은 합장하고 서 있으며, 눈이 깊고 코는 오뚝하여 중후한 노인의 모습이다. 오른쪽의 아난은 물건을 들고 시립하고 있으며, 낮은 눈썹에 부드러운 눈이 경건하고 성실해 보이기까지 한다. 세 보살이 그 밖에서 시립하고 있으며, 머리에는 화만보관(花蔓寶冠)을 쓰고 얼굴은 길고 둥글며 높은 눈썹과 기쁨에 찬 눈, 직선적인 코와 미소를 머금은 입을 하고 있다. 또 목에는 목걸이를 하고 어깨에는 영락을 걸치고 있다. 허리는 치마끈으로 풀었으며, 천의는 어깨를 덮고 있고 몸은 약간 기운상태로 서 있다.[32]

좌우 벽에 각각 1구의 불입상과 2구의 협시보살이 조각되어 있다. 굴의 도상은 과거, 현재와 미래의 삼불을 표현하였는데 이는 물론 『법화경』에 의거해서 조성된 것으로 생각된다.[33] 이러한 삼불 배치는 직접적으로는 운강석굴의 삼불과도 연관이 있다.[34]

궁륭 천정에 표현된 부조는 보개(寶蓋)와 같은 역할을 하고 있다. 중심에 연화가, 그 밖으

---

29 이상의 빈양중동 불상 조각 논의는 주로 溫玉成, 앞의 책, pp.141~142와 문명대 교수의 앞의 책에서 인용한 글이다.
30 水野清一·長廣敏雄, 앞의 책, pp. 17~18.
31 溫玉成, 앞의 책, p.142
32 溫玉成, 앞의 책, p.142
33 같은 책, p.142
34 水野清一·長廣敏雄, 앞의 책, p.19.

로 겹 연꽃이 조각되어 있고 연판을 둘러싸고 8구의 비천이 부조되어 있다. 석굴 천정의 조각은 화려하고 우아하며, 석굴 내 지면에 참배로(參拜路)를 만들고, 중간부분을 귀갑문(龜甲紋)으로 장식하고 있다.[35]

동벽(東壁) 문벽(門壁) 양측은 상하 4층으로 구분되어 있다. 1층(제일 윗층) 왼쪽에는 문수보살과 협시들이 부조되어 있으며, 오른쪽에는 장막 속에서 유마힐거사가 체침(諦枕)에 의지하고 앉아 있는데, 오른손으로 부채인 진미(塵尾)를 잡고 있으며 그 곁에 시종들이 시립하고 있다. 2층 왼쪽에는 사신사호도(捨身飼虎圖)가 묘사되어 있고 오른쪽에는 수대나태자시사도(須大拏太子施舍圖)가 부조되어 있다. 이 2폭의 부조는 본생담을 묘사한 것이다. 3층 왼쪽에는 효문제 및 신하들의 예불도가 표현되었고 오른쪽에는 문소황태후 및 비빈(妃嬪)들의 예불도가 부조되어 있다. 이 2폭은 30년대에 도난당한 후, 현재 미국 보스턴박물관과 뉴욕 예술박물관에 나뉘어져 있다. 4층은 비교적 폭이 좁으며 바닥과 접하는 위치로 좌우에 각각 신장 5구를 조각하여 모두 '10대신왕(十神王)'을 구성하고 있다. 이것은 중국에서 가장 이른 시기의 십신왕도이다.[36] 이러한 조상은 북위 용문석굴의 사상적 특징을 살필 수 있는 매우 중요한 표현이다.

빈양남동 굴 천정에 새겨진 보개는 그 형식이 빈양중동의 보개와 유사하다. 문벽 하층에 신왕(神王)을 조각하려 한 것 같은데, 오직 산신(山神)과 풍신(風神) 만을 완성하고 나머지는 완성하지 못한 것 같다. 조성이 중지된 때는 523년이다.

빈양중동과 남동 사이 벽면에 비각이 새겨져 있다. 높이는 6.5m로, 윗부분은 층형으로 조각되어 있다. 비는 용수귀부(龍首龜趺)로 높이 5.1m, 폭 2.0m이다. 비문은 당나라 때에 마모되었지만, 따로 영문본(嶺文本)이 찬(撰)하고 저유량(褚遂良)이 저술한 '이궐불감지비(伊闕佛龕之碑)'(貞觀 15년·641년)에 기록되어있다.

---

35 溫玉成, 앞의 책, p.143

36 같은 책, p.143

빈양북동의 굴 형식과 크기는 빈양중동과 상당히 비슷하며, 굴 천정에 조각된 보개는 다소 작으나 비천은 남동의 것과 비슷하다.

문소황태후와 선무제를 위하여 조성키로 한 석굴공정이 중도에 중지된 이유에 대해 유등이 정광 4년(523)에 사망한 것이 직접적인 원인이 되었다고 보기도 한다. 당시 호태후와 유등이 적대관계에 있었기에 유등이 죽자 유등이 주축이 되어 개착했었던 석굴 조성을 그만두게 하였다는 것으로 해석하고 있다. 이른바 석굴 조성이 중단하게 된 이유를 당시 정치 상황에서 이해해야만 한다고 추론되고 있다.[37]

선무제가 죽은 후 효명제가 너무 어려서 호태후가 섭정을 하게 되자 조정의 기강은 크게 해이해졌고 호태후는 이미 이 2굴의 공정을 진행할 마음이 없었던 것 같다. 반면에 호태후의 아버지인 황보도(皇甫度)는 도리어 석굴사를 완성하게 되는데(527년), 이러한 사실들은 이 시기의 역사적 상황을 반영하는 것으로 생각된다. 즉 석굴의 개착은 당시 민감한 정치상황 하에서 개착과 중단이 반복된 것으로 보인다.

빈양동의 불교적 사상도『유마경』과『법화경』의 사상이 유가유식사상과 융합되어 나타나고 있는 것으로 보인다.[38] 빈양동은 오존형식이 특징적이다. 육조시대 조상배치에 있어서 두 승려를 배치하는 형식이 존재한다.[39] 이러한 두 승려에 두 명의 보살을 더하는 형식은 북위시대 낙양지방에서 성행하였으며, 이러한 전통이 계속 이어져 내려간 것으로 보인다. 쓰가모토는 이러한 오존상의 특징을『유마경』의 사상적 기반 하에서 대소승의 융합된 모습으로 파악하고 있지만[40] 앞에서 말했다시피 유가유식사상과 융합되었다고 보는 것이 합리적이라 하겠다.

이 굴의 또 하나의 특징은 황제황후 예경도가 새겨진 것인데, 이것은 당시 불교신행의

---

37 溫玉成, 앞의 책, p. 143.
38 塚本善隆, 앞의 책, p.530.
39 塚本善隆, 앞의 책, p. 528.
40 塚本善隆, 앞의 책, p. 544.

일면을 알 수 있는 중요한 자료이다. 또한 여기에 조각된 상단의 유마거사와 문수보살이 대담하는 모습은 앞서 살핀 유마경의 사상이 석굴조영에 반영된 모습을 중요하게 살필 수 있는 자료이다. 또한 중단에 조각된 본생담은 수대나(須大拏)[41]태자의 본생에 관한 이야기가 조각되어 있다. 수다나태자는 보시를 행하는 마음이 지극하여 적국에 흰 코리상인 백상(白象)을 건네준 이유로 왕에게 버림받았지만 끝내 하늘로부터 보시바라밀의 마음을 시험받고 그 행을 완성한다는 내용이다. 이러한 보시로 나라를 구원하고 마침내 도솔천에 이른다는 내용이 주골자인데 이러한 내용은 북위시대의 도솔천에 이르고자하는 열망과 보시의 중요성을 잘 알려주고 있다.

이와 함께 마하살타(摩訶薩埵) 본생담 조각은 역시 몸을 바쳐 보시한다는 내용으로 이러한 내용의 뒤에는 보살행과 보시의 큰 정신적 기반을 중심으로 북위불교를 구성하려는 조성자의 의지가 새겨 있다고 할 수 있다. 이 경은『불설보살투신이아호기탑인연경(佛說菩薩投身飴餓虎起塔因緣經)』,『금광명경(金光明經)』,『대지도론(大智度論)』등에 전하고 있어서 이러한 본생담을 통해서도 빈양동에 남겨진 사상적 의의를 알 수 있다.

이러한 빈양동의 조상의 삼단구조는 불교적 세계관의 또 다른 표출이라고 본다. 불교적 세계관의 융합으로 현재의 신앙을 보시와 수행을 통해 고양시키고 미래에 올 미륵불을 준비함으로서 불교적 세계구현을 표현하고 있다고 하겠다. 황실에 의해 개착된 굴을 통해 황실의 후원도 거대한 보시바라밀의 범주에 속하게 하는 신앙적 융합은 이전 시대의 단순한 국가불교적 차원을 넘어 불교를 중심으로 이상세계를 구현하고자 하는 기원이 내재되어 있는 것이며 이러한 기원은 빈양동 조상에 중요한 동기가 되었다고 할 수 있다.

---

41 『六度集經』卷第二 (大正藏권3 pp.7~8) "昔者葉波國王號曰濕隨 其名薩闍 治國以正 黎庶無怨 王有太子 名須大拏".

(3) 연화동(蓮花洞)

연화동도 용문 석굴군 가운데에서는 상당히 큰 굴인데 521년 이전에 개착되었다고 생각되고 있다. 정벽 중앙에 조각된 여래입상의 높이는 5.1m인데 현재 머리가 결실되고 없

다. 어깨에서 가슴에 걸쳐 상당한 볼륨을 가졌는데 당당함은 빈양중동 조상에 비길만 하다.

연화동 불상의 머리에서 어깨에 걸쳐진 대의의 주름선은 조각 면이 깊고 간격이 넓은 편이다. 여기에 견주어 빈양중동의 옷주름 선은 조각 면이 얕고 주름과 주름사이의 간격이 좁다. 연화동의 두광이나 석굴 천정에 조각된 연꽃 문양은 이 석굴 불상 옷주름의 온화한 표현과 통하는 폭이 넓은 단판(單瓣)의 연잎을 겹치고 있다. 이것도 역시 빈양중동 조상의 가늘고 긴 연잎과는 다르다.

도15 연화동

연화동의 조성시기는 고양동에 비해 늦지만 빈양중동에 비해서는 이른 것으로 보고 있다. 바깥쪽 정면은 두 마리 용이 머리를 들고 있는 첨공형 화염문이 새겨져 있으며, 문양쪽에는 금강저를 들고 있는 금강역사가 부조되어 있다. 굴 내 평면은 장방형으로 폭 6.22m, 깊이 9.78m, 높이 5.9m이다. 정벽에 석가모니불입상이 조상되어 있으며 크기는 5.1m이다. 좌우에 고부조의 2제자상과 환조의 보살상이 배치되고 있다.

좌우 양쪽 벽면에는 작은 감들이 열지어 뚫려 있다. 궁륭형 천정에는 고부조로 큰 연화와 연화를 둘러싸고 6구의 비천이 조각되어 있는데 무척 우아하고 아름답다. 이 굴의 조상비(높이 1.68m, 폭 0.8m)는 오른쪽 문 가까이에 있지만 북제와 당대의 작은 감실들의 개착으로 파손되어 글씨는 거의 없어졌다.

연화동 내외에 있는 대량의 소감 이외에, 석각불경 3부가 새겨져 있다. 굴 내 북벽 상방

에『반야바라밀다심경』 2부가 새겨져 있는데, 한 부분은 북위 때 새긴 것이며, 다른 일부는 당나라 구시(久視) 원년(700년)에 황보원형(皇甫元亨)이 쓴 것이다. 굴 외 북벽 상방에『불정존승다라니경(佛頂尊勝陀羅尼經)』이 새겨져 있는데 여의(如意)원년(692년) 사연복(史延福)이 쓴 것이다.[42]

(4) 화소동(火燒洞)

화소동의 완공년대는 빈양중동에 비해 약간 늦다고 알려져 있다. 화소동의 입면은 빈양중동 개착의 경험에 의해 축적된 기술에 기초해 발전된 형식으로 우선 첨공화염 중심에 하나의 보병을 조각하였고 보병(寶甁)으로부터 왼쪽과 좌우로 세 줄기의 연화가 뻗어 나와 있는데 이것은 삼보를 의미하는 것이다. 첨공 양쪽에 동왕공, 서왕모가 용을 타고 상대하고 있는 모습이다.

화소동은 폭 9.5m, 깊이 12m, 높이 10m이며, 평면은 타원형으로 천정은 궁륭형이다. 정벽의 오존상은 모두 없어졌다. 좌(북)벽 하부에 거우 3개의 대감이 있는데 모두 오존형식이며 3면에는 단이 설치되어 있다. 그 중 두 감실의 주존은 가부좌로 앉아 있는데 미륵불일 가능성이 크다. 조성시기는 북위 말에서 북제 사이로 보인다.[43] 우측 벽에 완전한 하나의 궤형 록정(盝頂)칠존형식의 감이 개착되어 있다. 이것은 대통사 대비구 혜영이 정광 3년(522년)에 만든 것이다.

또 정벽 남측에 위치한 감실에 제기가 있는데 명문은 '清信女, 佛弟子王妃胡智造像一區, 願國彊, 圍海安寧常樂. 元善見侍佛, 元敬惑侍佛, 仲華侍佛.'이다. 호지(胡智)라는 사람은 청하왕 원대(清河王 元鬘)의 아내이다. 원선견(元善見)은 바로 동위의 첫 번째 황제인 효정제(孝靜帝)로, 534년 10월에 즉위하였는데 이때 11세였다. 이 감실의 조성연대는 영

---

42 溫玉成, 앞의 책, p.143.
43 같은 책, p.144.

희년간(永熙年間, 532-534) 이전으로 보인다. 화소동 남벽 외측에 원래 조상비가 하나 있었다. 화소동 조각은 자연적으로 파괴되었던 것이 아니라 완공 후 얼마되지 않아 의도적으로 파괴되었던 것이다. 현존하는 비좌의 북위읍자제명(北魏邑子題名)은 이 파괴활동이 북위 때에 이루어졌음을 증명해 준다. [44]

(5)황보동(皇甫洞)

황보도석굴사(皇甫度石窟寺)는 효창 3년(527년) 9월 19일에 완공되었는데 설계상의 중요한 변화가 있었던 것으로 보인다. 석굴사 외관은 원래 첨공식 굴문 위에 무전식(廡殿式) 옥정(屋頂)을 조각한 것 같고 첨공 내에도 7불이 조각되어 있다. 첨공 좌우 외측양쪽에 각각 비천 1구가 조각되어 있는데 북쪽의 비천은 횡적(橫笛)을 불고 있고 남쪽의 것은 완함(阮咸)을 키고 있다. 고개를 돌려 주시하는 그 자태와 바람에 날리는 옷자락은 무척 아름답다. 또 굴문 남쪽의 커다란 비석에 '태위공황보공석굴(太尉公皇甫公石窟)'이라 새겨져 있다. [45] 호태후의 아버지인 황보도에 의해 조성된 것이다.

불단에는 7존상이 조각되어 있다. 주존불인 석가불은 결가부좌를 하고 있으며 좌우에

도16 예경도

제자상과 보살상이 협시하고 있다. 주존 광배 양쪽 보리수 상방의 벽면에 부조로 일군의 나한상이 부조되어 있는데, 남쪽에 5구, 북쪽에 6구가 배치되어 있다. [46]

불단 남북 양 끝에는 각각 사유상 1구가 조각되어 있는데 사유보살 안쪽

---

44 같은 책, p.144.

45 같은 책, p.144

46 같은 책, p.145

도17 황보공동

벽면에는 보리수 한 그루씩이 새겨져 있다. 감실에는 석가·다보 이불병좌상이 조각되어 있는데 그 좌우로 제자상, 보살상이 협시하고 있다. 감 외 양쪽에 각각 1구의 공양보살이 조각되어 있고 감 아래에 공양예불도가 새겨져 있다. 남벽중간 부분 감실 안에는 미륵보살좌상과 그 좌우에서 2제자상, 2보살상이 시립하고 있다. 감실외부 양측에는 공양보살이 있으며, 감 아래에 역시 공양예불도가 있다. 전벽 정중앙 굴 문 좌우에 각각 불감이 있는데 그 안에 불입상(높이 1.9m)과 협시보살을 조각하였다. 문 윗부분 양측에 천불이 조각되어 있다. 굴정은 궁륭형으로 중앙에 한송이의 커다란 연화와 이를 둘러싸고 기악인 8구가 조각되어 있다. 모두 주존을 향해 있으며, 비파(琵琶), 횡적(橫笛), 생(笙), 배소(排簫) 등의 악기를 들고 있다. 굴 문에서 주존에 이르는 사이에 참배하기 위한 길이 마련되어 있고, 그 좌우에 각각 세 송이의 큰 연화가 조각되어 있다. 정벽 앞의 불단에는 다섯 송이의 작은 연화를 조각하였다.[47]

---

47 같은 책, pp. 145.

도18 연화동 정벽 불입상

도19 황보동 정벽 불칠존상

도20 보태동 북벽 불감 불좌상

제2장. 운강석굴의 불교문화

도21 용문석굴 만불동 불오존상

도22 용문석굴 만불동 남벽 만오천불상과 우전왕상

제2장. 운강석굴의 불교문화

도23 용문석굴 잠계사동 불좌상

도24 용문석굴 잠계사동 불좌상

제2장. 운강석굴의 불교문화

도25 용문석굴 만불동 천정 연화문

도27 용문석굴 봉선사동 노사나불좌상 얼굴

도28 용문석굴 봉선사동 사천왕, 금강역사상

제2장. 운강석굴의 불교문화

도29 용문석굴 봉선사동 사천왕상 북다문천

도30 용문석굴 봉선사동 금강역사상

제2장. 운강석굴의 불교문화

도31 용문석굴 경선사동 북벽 천왕상

도32 용문석굴 신라인상굴

제2장. 운강석굴의 불교문화

도33 용문석굴 잠계사동 상부 4층석탑

(7) 용문석굴의 불상분포

북위조상은 모두 108구인데 그 중에 석가불감(釋迦佛龕)이 51개로 전체의 47%이며, 미륵조상감(彌勒造像龕)은 38개로 29%를 차지한다. 영평년간(508~512)에 처음으로 관세음보살상을 만들었고, 신구(神龜)년간(518~519)에 무량수불상이 처음으로 만들어졌다. 북제 무평(武平)년간(570~576)에 무량수불 대신 음역(音譯)에 따라 아미타불을 처음으로 사용하고 있다. 그 밖에 중요한 상으로 석가·다보 이불병좌상이 있다.

이러한 변화는 북위의 변천과 연관이 깊다. 운강석굴의 경우 국가적 후원에 의한 조상 활동이 석굴을 조성하는 기본적 원인(原因)인데 비해 용문석굴은 국가적 동인과 함께 북위사회의 불교적 성숙이 반영된 것으로 생각되고 있다. 용문의 조상은 갖가지 원인에 의하여 다양한 양식적 특성이 나타났는데 이러한 양식 변천은 국가불교화라는 북위의 전통이 작용한 것으로 판단되고 있다.

이와 함께 북위 불상양식의 변천은 이민족 왕조의 정체성을 탈피하고 한족화를 과감히 시도했던 북위의 변화가 반영된 것으로 보고 있다.

3. 용문석굴 조상기에 나타난 불교사상과 문화의 특징

용문석굴의 조상기는 200여종에 가깝다. 특히 고양동에는 80종에 달하는 조상기가 기록되었다. 북위불교의 성격의 일면을 살피기 위해서는 이 조상기는 매우 중요하다. 조상기에 귀족에서부터 남녀 승속 모두가 등장하는 것을 볼 때 당시 조상기가 얼마나 성행했었는지를 알 수 있다.[48]

---

[48] 용문석굴 조상기는 水野淸一·長廣敏雄 著 『龍門石窟の硏究』(1943년 東京, 座右寶刊行會)에 龍門石刻錄에 있는 내용을 참조하였다. 이 석각록은 水野淸一과 塚本善隆·春日禮知가 함께 엮은 것으로 용문석각의 기록을 교열한 것으로 중요한 자료이다.

(1) 왕실귀족의 조상기

장락왕구목릉양(長樂王丘穆陵亮)의 조상기는 고양동에 위치하고 있는데 고양동 조상기의 상단은 태화·경명년간(500-503)사이에 조성된 것이다. 하단부의 조상기는 신구·정광년간(518-524)에 조성되어진 것으로 그 중 장락왕의 조상기는 최고로 오래된 것들 중 하나이다.

장락왕과 장락왕의 부인인 위지(尉遲)가 죽은 자식을 위하여 미륵상을 조성하고 생사의 경계를 벗어나 무애자재(無礙自在)한 경지에 도달하거나 생을 받는다면 천상의 제불지소(諸佛之所)에 세상에 태어난다면 즐거움이 가득한 땅에, 고해(苦海)에 들어온다면 해탈하여 삼악도(三惡道)를 끊어 모든 중생이 함께 복 받기를 기원하고 있다.

미륵상을 조성함으로서 왕생이 아닌 생사의 경계를 끊고자 신앙한 태도는 북위적인 독특한 신앙의 형태이다. 이것은 유가유식사상이 잘 반영된 사상으로 평가된다.

북해왕의 조상기는 북해왕이 원정을 떠나며 모자를 위하여 조성한 미륵상에 새겨진 조상기다. 북해왕의 태비(太妃)도 손자가 일찍 죽자 죽은 손자를 위하여 미륵상을 만들고 조상기를 새겼다. 비구 법생(法生)은 효문제와 북해왕 모자를 위해 불상을 새겨 놓았는데 석가상으로 추정된다. 북해왕과 관련된 조상기가 많은데 이는 당시 유력한 귀족들의 불교신앙의 일면을 살필 수 있는 중요한 자료이다.

북해왕 상(祥)은 헌문제의 일곱째 아들로 효문제와는 어머니가 다른 형제지간이다. 원상의 부인 유씨는 아들을 낳았는데, 이름은 원호(元顥;497년~530년)이며, 둘째 아들은 원욱(元頊;502년~530년)으로 자는 보의(寶意)이다. 이러한 사실로 보아 여자 공양인행렬 중 첫번째의 귀부인은 원상의 어머니인 고계방(高椒房)이며, 두번째 사람은 원상의 부인인 유씨(劉昶女)로 생각된다. 원상은 또한 자(字)가 복영(伏榮)인데 사서에서는 누락되어 있다. 원상은 태화 9년(485년)에 왕으로 책봉되었으며, 후에 시중(侍中)이 되고 태화23년(499년)에는 사공공(司空公)이 되었다. 경명 2년(501년)에 태부(太傳)가 되어 사도(司徒)를 영도하였다고 한다. 조상기에 등장하는 고태비는 바로 영태후와 정적관계에 있던 고조(高肇)와 연관 관계가 있다. 북해왕의 전성기는 태화 말에서 정광년간(500~503)에 걸쳐 있다. 그러나 북해왕 상은 정시원년(504) 고조등과 함께 모반죄로 죽게 된다. 북해왕은 용문석굴 조영 초기에 가장 중요한 인물로 파악된다. 특히 504년 북해왕의 죽음과 용문석굴 개착의 일시 중단과는 연관관계가 있으리라고 여겨진다.[49]

광천왕(廣川王) 관련 조상기도 눈에 띄는데 광천왕의 할머니인 태비(太妃)가 죽은 남편을 위하여 미륵상 1구를 조성하였다. 또한 본인이 남편을 일찍 여의고 어린 손자만을 데리고 사는 절박한 마음에 손자를 위하여 또한 불교에 귀의한 마음을 표현하고자 미륵상을 조성하였다. 이 두 구의 미륵상은 경명 3년(503)과 4년(504)에 조성되었다.

또한 광천왕 태비를 위해 조성한 두 구의 석가상이 광천왕 태비의 조상기 우측에 위치하고 있다. 이것은 광천왕 태비의 조성에 함께 동참한 귀족들의 조상기로 함께 조상사업에 동참하고 있는 형태로 볼 수 있다.

안정왕(安定王) 관련 조상기도 있는데 석가상(釋迦像) 1구와 미륵상(彌勒像) 1구를 조성하고 그의 죽은 친족을 위하여 조성하면서 용화세계(龍華世界)에서 만나기를 기원하고 있다. 특히 석가상을 조성하면서도 미륵 용화세계에 만나기를 기원하는 태도로 볼 때 당시 법화사상의 영향과 함께 유가유식사상에 의한 미륵왕생 신앙이 얼마나 유행하였는지를 잘 알 수 있다. 또한 그의 장인이 불교에 귀의한 것을 기념하기 위하여 관음상(觀音像) 2구를 조성하고 있다.

제군왕(齊郡王) 관련 미륵 조상기에는 『성실론(成實論)』에 관한 언급[50]이 있는데 이는 당시 낙양 상류층에 성실론이 유행했음을 보여주는 중요한 자료라고 할 수 있다.

또한 자료 중 '즉림수지선구 계신상어청산(卽林水之仙區 啓神像於靑山)'의 문구는 도가사상과 불교가 융합되는 '도불융합(道佛融合)'의 형태가 보여지는 중요한 자료이다.

---

49 塚本善隆, 앞의 책, pp.439~440.
50 조상기 안에 '達成實之通途'라는 부분이 있다.

연화동에서는 元○ 등이 조성한 조상기가 남아있다. 20여 명이 함께 연화동을 조성하면서 남긴 조상기인데 현재 마모상태가 심하여 탈락된 글자가 많다. 황실의 종친으로 추정되는 이들은 황제를 위하여 조성을 한다고 기록하고 있다. 정광년간에 삼층탑을 세우면서 만든 조상기의 탁본이 발견된 것도 있다. 앞부분은 연화동에 새겨진 내용과 완전히 동일하기에 복원해 볼 수 있는데 이 내용을 보면 용화세계와 관련된 사상과 황제와 당시의 실세였던 영태후(靈太后)에 대한 내용이 기술되어 있다. 이를 통하여 볼 때 이 연화동은 영태후와 관련이 깊은 굴로 파악할 수 있다.

양대안조상기(陽大眼造像記)에는 효문제를 위하여 석가불을 조상한 기록이 있다. 이처럼 직접적으로 황제를 위하여 조상한 조상기들은 바로 북위불교 특징의 일면을 보여주는 것이다.

경명년간의 조상기를 새긴 양대안은 고양동 초기의 개착사업을 펼치던 인물이었을 것이다.[51] 이러한 최초기의 인물들은 바로 고양동의 개착을 필두로 용문석굴 조상에 커다란 역할을 하였던 것으로 보인다.

대부분의 북위석굴은 부모나 자식 등을 위한 추선공양적 성격이 강하지만 직접적으로 황제나 제실을 위하여 조성한 석각기도 많이 보이고 있다. 이러한 왕실 내지 귀족조상기의 특징은 추선공양적 성격과 함께 황제나 국가가 영원하기를 기원한 국가불교적 성격을 띠고 있다.

귀족들의 조상의 특징은 조상의 내용에 있어서도 석가불(釋迦佛)5, 미륵(彌勒)7, 관세음(觀世音)1, 천불(千佛)1, 불명확한 조상 2구를 포함해 16구 정도나 된다. 앞서 지적한 바와 같이 이러한 조상기 숫자의 이면에는 과거불의 계승자로서 석가불의 역할, 석가불의 계승자로서 미륵의 역할이 북위인들의 인식 속에서 그들 사후(死後)조차도 이러한 미래에 석가불의 계승자로서 이 땅에 도래할 미륵불을 중심으로 생각하는 지극히 현실적인 북위인들의 사고가 투영되었다고 할 수 있다. 이와 함께 인도에서 성행한 유가유식사상도

---

51 塚本善隆, 앞의 책, p. 459.

북위 사회에 크게 영향을 미치고 있었다고 판단된다.

(2) 승니(僧尼)의 조상기

년도	비구	비구
498~507	9	0
508~517	10	13
518~527	10	20
528~535	4	6
합 계	33	39

표1 용문석굴 시기별 승려조상 숫자(塚本善隆, 앞의 책 p.471)

승려의 조상은 초기에는 각각의 승려들의 자발적 참여에 기인한 것으로 보인다. 초기에는 비구들만 참여했는데, 508년 영명년간 부터는 비구니들의 참여가 시작되었으나 곧이어 비구니들의 참여가 비구들을 능가한 것으로 보인다. 특히 영태후 연간에 건립된 비구니 사찰은 전성기를 이루었는데 이러한 영향으로 용문석굴에서의 비구니들의 조상활동도 동일하게 성황을 이룬 것으로 생각된다.[52]

많이 조상한 굴 역시 520년 이전에는 고양동이었으나 이후에는 화소동, 연화동, 위자동에 주로 조상기를 남기고 있다. 불상 조성은 석가불과 미륵불을 주로 조성했으나 후대에는 관음상을 조성한 것을 볼 수 있다.

조상기에 나타난 조상 목적은 비구니들의 경우 대체로 개인적인 목적이 많은 것으로 나타나는데 특히 자식을 위해서 조상을 한 경우도 있어 주목되고 있다. 자식이 있는 비구니라고 한다면 부부생활을 한 뒤 일정 정도의 연령이 지나 출가한 경우로 보이는데 이것은 북위불교에 있어서 비구니교단 성격의 일면을 보여주는 중요한 자료이다.

---

52 같은 책, p.472.

(3) 단체조상기

북위시대에는 읍사(邑社)를 중심으로 단체들의 조상기가 등장하고 있다. 작게는 십수명에서 몇백명씩 모여 조성한 것으로 보이는데 조상물의 대상은 대체로 앞서 언급한 석가상과 미륵상이다. 읍사들의 활동은 용문석굴만이 아니라 『출삼장기집』안에도 읍사의 활동을 볼 수 있는 자료가 있다. 「법원잡연원시집목록서(法苑雜緣原始集目錄序)」제7에 「경사제읍조미륵상삼회기(京師諸邑造彌勒像三會記)」제2나 「정림상사건반야대대운읍조경장기(定林上寺建般若臺大雲邑造經藏記)」제1에 보이듯이 이러한 읍사의 활동은 북위시대에 중요한 신행활동의 하나로 평가할 수 있다. 여기서도 보이다시피 유가유식사상(하생신앙과 상생신앙)의 성행을 엿볼 수 있다.

또한 이러한 신행활동은 남조와 차이를 보이는데, 남조의 경우는 동진 혜원의 경우에서 보이듯이 결사를 중심으로 맺은 법사의 활동이 상류사회의 중심적 활동이었다. 하지만 북위의 경우는 이러한 활동이 거의 없는 것으로 보인다. 오히려 북위의 상류사회는 신앙을 중심으로 뭉쳤다고 하더라도 이들은 조상활동에 많은 공을 들이고 있는 것이다.

이러한 성향은 북조사회와 남조사회 문벌귀족의 차이로 보아 남조가 현학적 풍조가 팽배한 신앙적 형태였다고 한다면, 북조의 경우는 서민적 통속적 기반을 둔 신앙적이고도 실천적인 형태의 불교가 유행했다고 보기도 한다.[53]

---

53 같은 책, pp.492~493.

위치	조상기 제목	조성	년도	조상목적
고양동	孫秋生等二百人造像記	釋迦佛	景明3년(502)	
	高樹等卅二人造像記	交脚菩薩	景明3년(502)	父母 眷屬 來身神騰九空 登十地
	尹愛姜廿一人造像記	彌勒像	景明3년(502)	七世父母, 所生眷屬 亡者生天 生者福徹
	邑主馬振拜等卅四人造像記		景明4년(503)	皇帝
	張道伯等十四人造彌勒像記	彌勒像	延昌3년(514)	現世安隱 壽命長壽
	杜還等廿三人造釋迦像記	釋迦像	神龜원년(518)	
	邑主孫念堂等造像記	交脚菩薩	神龜2년(519)	
	邑主趙阿歡等卅二人造彌勒像記	彌勒像	神龜3년(520)	
노서동 부근	道俗廿七人造像記		正光5년(514)	七世父母, 所生父母, 因緣眷屬 一時成佛
연화동	像主蘇胡人合邑十九人等造釋迦像記	釋迦像	正光6년(515)	
	法儀卅餘人造座佛記		永熙2년(533)	

표2 읍사조상기 분석표

이상에서 보이듯이 이들은 중국고대의 생천신앙(生天信仰)과 더불어 유가유식종의 상생신앙 즉 불교적 생천신앙이 결합된 형태를 나타내고 있는 것으로 판단된다. 또한 대승불교적 보살도가 이들의 신앙 속에 스며들었음을 알려주는데 장차 십지위에 오르기를 바라는 이들의 기원을 살필 수 있다. 또한 조상기에 보이는 읍사 안에는 읍주만이 아니라 유나(維那)의 명칭이 보이는데 승려의 직명이 일반 대중신앙결사에서도 사용되는 점은 매우 중요한 의의를 가진다고 할 것이다. 본래 북위의 승제에 있어서 보이는 도유나, 유나의 명칭은 중앙과 지방의 승려를 관장하는 명칭으로 사용되었지만 여기서는 담당자들의 직위를 뜻하는 명칭으로 사용된 것으로 생각된다.

이상의 용문석굴 조상기를 통해 후기 북위불교의 특징을 살펴보았다. 이러한 용문석굴 조상기는 북위시대 후기 낙양불교의 특성을 여실히 보여주고 있다고 할 것이다. 이러한 조상기를 통해 살필 수 있는 중요한 신앙형태는 북위시대에 나타난 석가불과 미륵불을 중심으로한 신앙 형태가 용문석굴 조성기에 나타나듯 신분과 계층을 가리지 않고 북위시대에 중요한 신앙의 형태로 활용되었다는 점이다.[54] 법화경에 의한 석가불 및 삼세수기불사상과 유가유식사상에 의한 상생신앙과 하생신앙이 융합된 북위불교의 특징이 잘 드러나고 있다고 판단된다.

또한 민간 신앙적인 부모 등에 대한 추선의 형태는 민간적 윤리가 잘 드러나고 있다고 보아야 할 것이다. 인도적인 윤리가 아닌 중국적 윤리 하에서 승려조차도 본인의 부모를 위하여 추선공양적 기원을 바치는 형태가 석굴조성 및 여타의 불사에서 중요한 목적으로 활용된다는 점은 불교가 중국사회 내에 잘 안착되었다는 것을 알려주고 있다.

운강석굴을 시작으로 용문석굴에 이르기 까지 『법화경』과 『유마경』, 유가유식사상(정토삼부경) 등의 경전 내용이 석굴 조성에 중요한 동기로 사용되는 증거가 석굴 조성의 내용과 조성기를 통해 보이고 있다는 것도 중요한 점이다.

또한 북위 말에 무량수불의 조성이 이루어지고 있는점은 아미타신앙이 북위에서도 행해지기 시작했다는 사실을 알려주고 있다.

이러한 신앙형태는 북위불교의 국가불교적 성격 형성에 크게 영향을 미치고 있다고 생각된다. 조상기 곳곳에 보이는 황제를 위해 새겨 놓은 조상기를 통해 보아도 알 수 있듯이 북위시대를 통틀어 진행된 국가불교정책이 민간 속으로 파고들어 신앙적 기원의 대상에도 널리 활용된 점을 우리는 주목해야 한다.

용문석굴의 중심적인 대형굴들의 개착자는 북위황실이다. 이들의 개굴을 중심으로 소형불감을 조성하는 사업은 민간이 함께했다고 하는 점도 북위시대 국가불교의 단면을 보여주는 것이다. 이처럼 국가적 사업에 대해 귀족 승려 일반계층까지 함께 동참했다는 점도 북위불교의 특징이라 할 수 있을 것이다.

---

54 같은 책, pp 501~502.

저자
후기

북위는 불교가 극도로 번성한 국가였다. 또한 그들의 화려한 불교문화는 지금까지도 석굴을 통해 전하고 있다. 당시의 시대상황과 불교의 변화 양측은 서로 유기적으로 영향을 주며 찬란한 불교를 꽃 피운 것으로 볼 수 있다. 이러한 문화사적인 시각에서 접근하여 북위불교의 변화와 석굴조성의 변천을 통해 북위불교의 전반적인 성격을 살펴보았다.

북위불교는 새로운 불교의 흐름을 이끌어 내었다고 할 수 있다. 이민족 왕조였던 북위의 불교를 통한 한족화과정은 북위사회를 넘어 중국사회에 불교가 정착하는데 많은 공헌을 하고 있다. 상호간의 필요에 의해 시작된 불교와 황실과의 관계는 국가불교화라는 거대한 연결고리를 갖는다. 이러한 정착화의 과정이 선명히 나타난 북위의 석굴이야 말로 북위불교를 넘어 중국에 있어서 불교 정착화의 과정을 엄밀히 살필 수 있는 증거가 될 것이다.

첫째, 북위는 오호십육국 이래로 북방 이민족 왕조들이 견지해 온 국가불교적인 틀을 계승하고 한층 더 발전시킨 것을 볼 수 있다. 이러한 국가불교화의 틀은 북위 건국시기에는 '승관제', '황제즉여래' 사상과 같은 형태로 표출된다.

둘째, 폐불과 불교부흥의 과정은 북위의 국가적 특징을 확인할 수 있는 계기였으며, 오히려 이러한 과정을 통해 국가불교화의 과정은 한층 심화되었다.

셋째, 북위는 낙양 천도과정을 거치면서 호족적 특색을 없애고 중국화 과정을 거치는데, 이러한 과정에 불교는 중요한 역할을 했다고 할 수 있다.

넷째, 운강석굴의 개착은 국가불교화 과정을 한층 더 심화시키고 있으며, 이러한 국가불교화 특징이 석굴조영의 특색에 나타난다.

다섯째, 용문석굴의 개착과정을 통해 북위사회에 불교가 한층 더 공고히 뿌리내리는 모습을 살필 수 있으며, 이러한 과정에는 한족화 과정과 불교신앙의 성숙, 국가불교화 양상이 함께 한다고 볼 수 있다.

따라서 북위불교는 새로운 불교의 흐름을 이끌어 내었다고 할 수 있다. 북위의 건국과 더불어 시작된 불교는 북위사회에 대한 불교적 접근을 통해 이전시대에서 찾아볼 수 없는 새로운 불교흐름을 이끌어 내었다. 이러한 흐름은 북위문화의 꽃이라 불리는 석굴조영 속에 나타났다. 북위불교의 국가불교적 특징과 석굴조영이라는 사상적 문화적 접촉은 북위시대불교를 이해하는 중요한 관점이며, 북위전반을 이해할 수 있는 중요한 요소이다.

이러한 북위불교와 불교문화가 고스란히 간직되어 있을 뿐만 아니라 살아 생동하고 있는 곳이 운강석굴이다. 운강(용문)석굴을 처음 조사한 때는 매서운 추위가 기승을 부리든

2001년 12월 말이었다. 추위 때문에 인적이 거의 끊긴 석굴을 혼자서 1굴에서 20굴까지 한 굴 한 굴을 찾아가는 여정은 감격 그 자체였다. 1굴에서 시작하여 5, 6굴을 지나 7, 8굴을 거쳐 9-15굴까지의 조사는 흥미에 흥미를 더하는 감동이었지만 북위 5제를 상징한다는 16굴에서 20굴까지는 웅장무비하고 장대하고 당당한 위용의 석굴 속 불상에 압도되어 그만 할 말을 잃고 말았다. 이날의 강렬한 인상이 운강(용문)석굴을 통해 본 북위불교와 불교문화를 연구하게 한 직접적 동기가 된 것 같다.

　이와 함께 "운강석굴의 인문학"의 저술은 운강석굴을 통한 북위불교와 불교문화가 우리나라에는 어떤 영향을 미쳤을까 하는 학구적 호기심도 이 저술에 적잖게 작용했던 것 같다. 이 문제는 앞으로의 연구과제로 남겨두고 일단 『운강석굴의 인문학』 내용을 간략히 살펴보도록 하겠다.

　첫째 서장에서는 화려함의 극치 운강석굴의 문화를 간략히 요점적으로 개관했고

　둘째 1장의 Ⅰ에서는 북위의 건국과 불교의 수용에 대해서 논의하고자 했다.

　셋째 Ⅱ에서는 북위 초기인 평성시대 북위의 불교문화를 살펴보았고

　넷째 Ⅲ에서는 낙양시대의 불교문화의 변천을 조명하고자 했다.

다섯째 2장의 Ⅰ에서는 운강석굴의 불교문화를 논의했고

여섯째 2장의 Ⅱ부록에서는 운강석굴을 계승한 용문석굴의 불교문화도 운강석굴과 함께 부록으로나마 살펴보기도 했다. 이 부분은 필자의 전공이 아니어서 온옥성 소장과 문명대 교수의 글에 많이 의존했음을 밝혀둔다. 그래서 부록으로 편집하게 되었다.

이 저술은 원래 박사논문을 위해 간행된 것으로 이후 대폭 수정 및 보완 과정을 거친 것이기 때문에 많은 분들의 지도 편달로 이루어졌다. 먼저 은사 권기종 교수님의 학은에 깊은 감사를 드리며 아울러 정병조 교수님과 최성은 교수님의 가르침도 못내 잊지 못할 것이다. 이외에 선배, 동료들의 격려가 큰 힘이 되어 주었다. 또한 항상 격려 해주시는 부모님과 누이, 언제나 긍정적으로 살아가는 아들 문성준과 가족들에게도 고마움을 느낀다.

끝으로 이 책의 간행에 애써준 (주)디자인밈의 유정서 대표님과 편집진 여러분, 그리고 도판편집에 애써준 김현우 한국미술사 연구소 간사에게도 깊이 감사드린다. 이와 함께 이 책의 뼈대를 세우는데 많은 도움을 받은 塚本善隆 교수와 溫玉成 소장, 그리고 문명대 교수에게 깊이 감사를 표한다.

1판 1쇄 인쇄 2022년 8월 19일

지은이   문무왕
펴낸이   유정서
펴낸곳   (주)디자인밈
주   소 서울시 종로구 삼일대로 30길 10-3 각연빌딩 6층
전   화 02-765-3812
팩   스 02-6959-3817
홈페이지 www.artminhwa.com

값 20,000원